SOMMAIRE

Les niveaux de difficultés pour chaque plongée sont représentés par des symboles, en étoile.

★ : plongée accessible aux débutants et brevets élémentaires
★★ : niveau 1er échelon
★★★ : niveau plongeur autonome
★★★★ : pour plongeur très expérimenté

Pour la qualité de la plongée et l'aspect touristique :
★ : intéressant
★★ : très intéressant
★★★ : excellent
★★★★ : exceptionnel

Pour vous permettre de mieux partager notre aventure nous avons numéroté nos plongées de 1 à 80 et les avons situées sur la carte générale des Caraïbes que vous trouverez en page 4.

ÉTATS-UNIS
GOLFE DU MEXIQUE
FLORIDE
Tropique du Cancer
MEXIQUE
YUCATAN
CUBA
CARAÏBES CONTINENTALES
BELIZE
JAMAÏQUE
GUATEMALA
HONDURAS
NICARAGUA
COSTA RICA
PANAMA
1
2
3
4
5
6
7
8
9
10
11
12
14
15
19
20
21
22
23
24
25
26
27
70
71
72
73
74
75
76
77
78
79
80

FLORIDE
1 Crystal River
2 Ginnie Springs
3 Fort Lauderdale
4 5 Key Largo
6 Islamorada
7 Marathon
8 Key West
NORD CARAÏBES
9 Walker's Cay
10 Theo's Wreck
11 Coral Star
12 Coral Harbor
13 South West Reef
14 Andros
15 Crown Islander
16 Le Comberbach
17 Provo
18 Grand Turk
CENTRE CARAÏBES
19 La côte des pirates
20 Cayo Largo
21 Bloody Bay
22 North Wall
23 Sting Ray City
24 Airport Reef
25 Sands Club Reef
26 Montego Bay
27 Paradise Reef
28 San Juan
29 Fajardo
30 Culebra
31 Sainte-Croix
32 Saint Thomas
33 Salt Island
34 Virgin Gorda
ÎLES DU VENT
35 Sandy Island
36 Prickly Pear
37 Spanish Rock
38 Grand Case
39 Tintamarre
40 41 Gustavia
42 Shark Shoal
43 Tent Reef
44 The Wall
45 Statia
46 Salt Tail Reef
47 Weymouth Reef
48 Cades Reef
49 Pigeon
50 Marie-Galante
51 Les Saintes
52 Blue Marine
53 Le Diamant
54 Saint-Pierre
55 Bell Buoy Reef
SUD CARAÏBES
56 Angel Reef
57 Black Forest
58 Los Roques
59 Las Aves
60 Cayo Sombrero
61 Forest Reef
62 Ebo's Reef
63 Diana's Leap
64 Mushroom Forest
65 Sandy's Plateau
66 Piedra Pretu
67 Kantil Reef
68 Golden Island
69 Skalahein Reef
CARAÏBES CONTINENTALES
70 Anthony's Key
71 West End Wall
72 Romeo's Resort
73 Fantasy Island
74 Saint-George's Lodge
75 Blue Creek
76 Lighthouse Reef
77 Contoy Reef
78 Banderas Reef
79 Little Caves
80 Paradise Reef
BAHAMAS
NORD CARAÏBES
CENTRE CARAÏBES
HAÏTI
RÉPUBLIQUE DOMINICAINE
PORTO RICO
MER DES CARAÏBES
ÎLES DU VENT
SUD CARAÏBES
COLOMBIE
VENEZUELA

FLORIDE

FLORIDE

Pays du soleil, des vacances et de la détente, il est possible de plonger toute l'année en Floride. Les activités subaquatiques sont organisées d'une manière très professionnelle. Les équipements de tous les *dive shops* sont remarquables, depuis le modeste plomb de lestage, jusqu'aux bateaux surpuissants qui vous conduisent sur les lieux de plongée. Tout est prévu pour une sécurité maximale, mais les plongées n'étant pas encadrées lors de vos évolutions sous l'eau, il vous sera demandé la présentation d'un brevet avant votre inscription. Depuis 1992, la CMAS (Confédération mondiale des activités subaquatiques) est reconnue officiellement aux États-Unis. Inutile par conséquent d'obtenir des équivalences Padi de vos diplômes.

La plongée en Floride, c'est bien sûr les fameux Keys avec leurs réserves sous-marines, des récifs coralliens très riches et des épaves impressionnantes, mais aussi les innombrables sources (springs) qui permettent l'initiation à la plongée en eau douce et en grottes, dans une magnifique ambiance cristalline.

La Floride est le seul endroit au monde où l'on soit certain de pouvoir approcher les lamantins, ces adorables sirènes d'eau douce dont l'avenir est très menacé.

Enfin, n'oubliez pas l'aspect touristique unique avec, notamment, la région d'Orlando qui accueille des attractions mondialement réputées comme Disney World, Epcot Center, Sea World, Universal Studios, MGM Studios etc.

Page précédente : le lamentin (Trichechus manatus) *a une bonne grosse bouille sympathique, mais il faut quand même beaucoup d'imagination pour le confondre avec une sirène.*

Page de droite : La silhouette d'un plongeur se découpe en contre-jour à l'entrée de l'Oreille du Diable à Ginnie Springs.

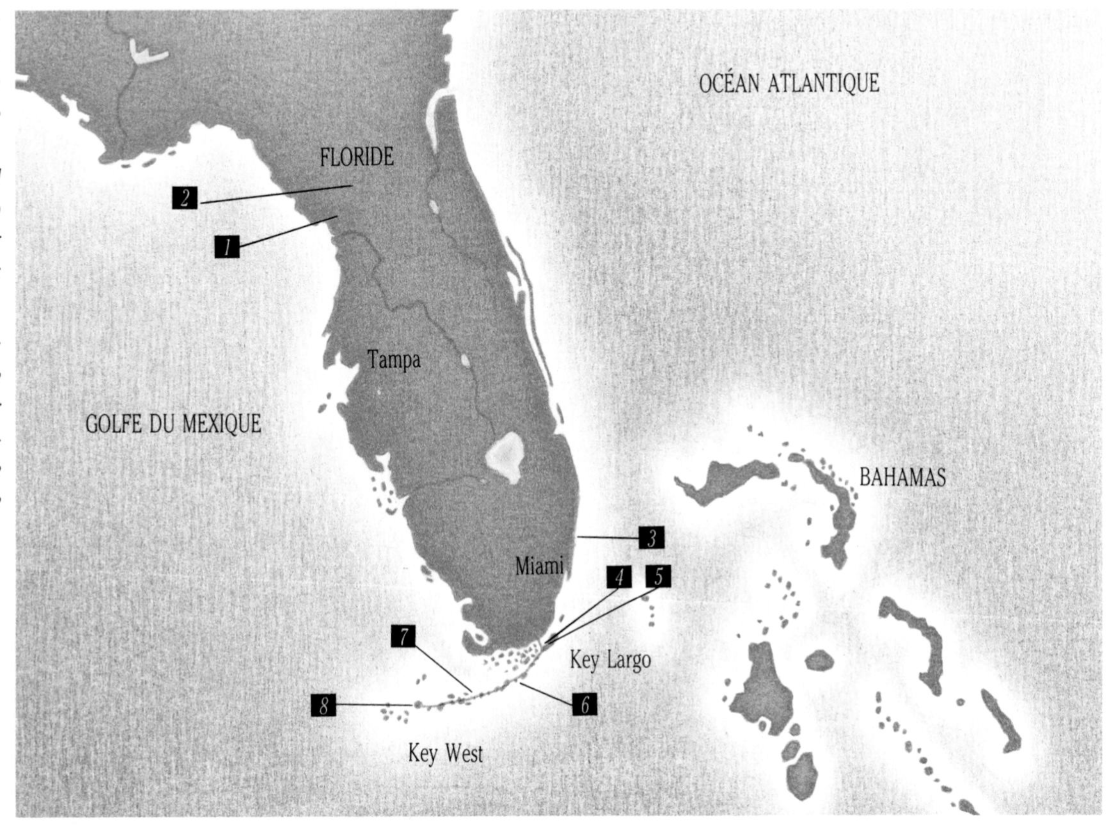

1 Crystal River
2 Ginnie Springs
3 Fort Lauderdale
4 5 Key Largo
6 Islamorada
7 Marathon
8 Key West

1) Les jeunes lamantins se montrent fort peu farouches.

2) sympathique, mais peu gracieux, le lamantin a donné naissance à la légende des sirènes.

3) Au lever du soleil, Crystal River a un côté féerique.

4) Mammifère, le lamantin (Trichechus manatus) a besoin de respirer à la surface.

CRYSTAL RIVER : La légende des sirènes

NIVEAU DE PLONGÉE	★
QUALITÉ DE LA PLONGÉE	★★★★
ASPECT TOURISTIQUE	★

Quand l'hiver refroidit les eaux du golfe du Mexique, un étrange animal fuit la mer vers les douces sources de Crystal River, pour satisfaire son énorme appétit de vache marine. Paisible mammifère, que certains transforment volontiers en sirène...

Renseignements pratiques

Située du côté ouest de la Floride, à 200 km au nord de Tampa, Crystal River est le haut lieu du rassemblement hivernal des lamantins *(Trichechus manatus)*. Comme partout aux États-Unis, tout est parfaitement organisé pour le tourisme. De nombreux hôtels et chambres d'hôtes accueillent les visiteurs dans le village de Crystal River. La saison commence début novembre et s'achève courant mars, avec le départ des lamantins vers l'embouchure. Il est possible de louer tout l'équipement de plongée sur place et même des bateaux à fond plat, très faciles à manœuvrer. La réserve des lamantins est clairement balisée. Il faut respecter les bouées isolant une partie du sanctuaire. Les lamantins sont rois à Crystal River. Ce sont eux qui viennent

2

3

4

à la rencontre du plongeur et non l'inverse. Quand ils sont lassés des assiduités des bipèdes palmés, ils peuvent se réfugier dans la partie qui leur est exclusivement réservée. Les fonds ne dépassent pas 6 m et il est fort possible de jouer avec les grosses sirènes, en apnée.

Particularités

Les sources d'eau douce dont la température avoisine les 22°C permettent une prolifération exceptionnelle d'herbes aquatiques et de jacinthes d'eau, la nourriture préférée des lamantins. Ces énormes herbivores peuvent atteindre 900 kg et 4 m de long. Il est étonnant de penser qu'ils ont pu passer pour des sirènes aux yeux des navigateurs d'antan. Ceci leur a même valu d'être classés dans l'ordre des siréniens ! Mais il est vrai que notre moustachu bedonnant ne manque pas de charme, par sa lenteur naturelle, son petit côté curieux et sa bonne grosse bouille. Malheureusement, le lamantin est aujourd'hui menacé d'extinction par la faute des hommes. Afin de les protéger, les autorités américaines ont pris des mesures draconiennes et dans la région de Crystal River, la population de lamantins augmente chaque année. Mais le repeuplement est lent car les femelles ne mettent bas que tous les trois à cinq ans. Aujourd'hui, le lamantin est devenu l'emblème de la Floride où on l'appelle *manatee.*

Notre avis

C'est une rencontre extraordinaire avec un animal débonnaire et franchement sympathique. Les lamantins ne manifestent jamais la moindre agressivité. Au contraire, les jeunes sujets semblent adorer le contact avec les plongeurs et n'hésitent pas à venir tout près pour recevoir une caresse. Dommage que l'eau ne soit pas toujours très claire. Mieux vaut prévoir de passer trois à cinq jours sur place pour être sûr de profiter de la meilleure visibilité. La plongée très tôt le matin, dès les premiers rayons de soleil, est toujours meilleure.

1

1) Dans l'œil du Diable, un plongeur en contre-jour.

2) Ginnie Springs est idéal pour s'initier à la plongée spéléo.

3) Perches et brèmes viennent manger dans la main du plongeur.

GINNIE SPRINGS :
Dans l'œil du Diable

NIVEAU DE PLONGÉE	★★★
QUALITÉ DE LA PLONGÉE	★★★
ASPECT TOURISTIQUE	★

Dans une eau douce incroyablement limpide, des grottes immergées accueillent le plongeur pour un fabuleux voyage sous la terre. C'est un endroit formidable pour l'initiation à la plongée spéléo, en toute sécurité et sans équipement particulier...

Renseignements pratiques

Ginnie Springs est une propriété privée située sur les bords de la rivière Santa Fe, au nord de Tampa. De Bradford, prenez l'US 27 vers l'est jusqu'à Fort White. Tournez ensuite à droite sur la 47. Ginnie Springs se trouve à 10 miles (16 km). Le centre de loisirs est ouvert toute l'année, mais évitez l'hiver car il fait frais. Préférez le printemps ou l'automne, car l'été, c'est bondé. En avril-mai, vous êtes assuré de l'eau la plus claire.
Il y a un droit d'entrée forfaitaire à payer au centre de plongée. Tout l'équipement peut être loué sur place, à condition de pouvoir présenter un brevet de plongée en bonne et due forme. C'est un endroit idéal pour le camping, mais gare aux moustiques !

2

Particularités

Il y a deux très belles plongées à faire à Ginnie Springs : Jenny, la source principale et Devil's Eye (l'œil du Diable). La première est une grande cuvette de 1,30 m à 1,50 m de profondeur qui plonge soudainement à 6 m. Tout le pourtour est garni de longues algues qui serpentent au gré du courant. Cela crée une ambiance de toute beauté, ponctuée par le va-et-vient incessant des perches. N'oubliez pas d'apporter un peu de fromage pour les poissons, ils vous l'arracheront des mains ! L'entrée de la grotte est parallèle au fond sableux. On y pénètre par une petite ouverture qui aboutit immédiatement à une grande salle de 10 m de large. En vous enfonçant dans les profondeurs, vous perdez la notion de l'espace et du temps. Tout est très bien balisé, mais on est dans le noir absolu. Si le cœur vous en dit, vous pourrez atteindre la seconde salle à 20 m de profondeur. Il n'y a pas de danger, tous les couloirs secondaires étant obstrués par de lourdes grilles. Mais l'ambiance générale est assez pesante car on se trouve dans le noir absolu.

L'œil du Diable est un trou béant de 7 m de profondeur. Il aboutit à une ouverture de 1 m de haut, à peine, qui plonge dans «le donjon du Diable», une salle toute noire de 10 m de long. Il est possible de poursuivre l'exploration dans un corridor étroit qui aboutit à une sortie dans la rivière Santa Fe.

Notre avis

Ginnie Springs est un autre monde, une plongée complètement différente de ce que l'on a l'habitude de voir. Il faut absolument faire cette expérience lors d'un voyage en Floride. Profitez-en par la même occasion pour continuer votre périple vers Crystal River à la découverte des lamantins. À Ginnie Springs, on vous laisse en totale liberté, ce qui est rare pour la plongée américaine. Soyez toutefois certain d'être au niveau de votre audace ; les sensations sont très différentes dans ce monde d'obscurité...

3

1

1) Les gorgones des récifs de Fort Lauderdale dépassent 1 m de diamètre.

2) Gorgonia ventalina, un gracieux éventail animal.

3) Ville des milliardaires, Fort Lauderdale se caractérise par ses yachts luxueux.

4) Gorgonia flabellum immobile dans un nuage de Thalassoma bifasciatum.

FORT LAUDERDALE :
Éventails pour les stars

NIVEAU DE PLONGÉE	★
QUALITÉ DE LA PLONGÉE	★★
ASPECT TOURISTIQUE	★★★

Luxueuse cité de villégiature, Fort Lauderdale vit sur l'eau. À l'écart des plages à la mode et des villas somptueuses, des récifs coralliens magnifiques sont bercés par les mouvements gracieux des gorgones...

Renseignements pratiques

Véritable banlieue nord de Miami, Fort Lauderdale est une ville résidentielle. Au cœur d'un dédale de chenaux empruntés par des yachts de rêve se rencontrent quelques unes des propriétés les plus chères du monde. Les grandes plages de Fort Lauderdale sont bordées par des récifs immergés sous 9 à 18 m d'eau claire et tiède.

Proche de Port Everglades d'où partent d'impressionnants bateaux de croisière, Barracuda Reef est le plus fréquenté. C'est à la fois le moins profond et le plus généreux en variétés de coraux. On peut l'atteindre depuis la plage. Hammerhead Reef (le récif du requin-marteau) est plus profond. On y accède uniquement par bateau. Il n'y a pas de courant, mais on peut dans certaines parties peu profondes ressentir la houle venue du large. Ce brassage de l'eau a permis un impressionnant développement de gorgones de toutes sortes sur les pâtés coralliens. De très nombreux clubs de plongée encadrés par des professionnels proposent des plongées sur les récifs de Fort Lauderdale. Ici, c'est la plongée à l'américaine . Une *two tanks dive*, permettant de plonger consécutivement à quelques centaines de mètres de distance. Adventure Divers, Divers Den et le club de l'hôtel Holiday Inn font partie des centres les plus fréquentés.

Particularités

Dans ces petits fonds, la lumière pénètre généreusement. Il est indispensable de plonger par temps calme pour bénéficier de la meilleure clarté. D'octobre à avril, les conditions climatiques sont les plus agréables. Évitez l'été, très fréquenté et entrecoupé de forts orages.
On rencontre sur ces récifs les trois espèces de gorgones les plus courantes dans les Caraïbes. L'éventail de Vénus *(Gorgonia flabellum)* se caractérise par sa couleur variant du jaune au vert parfois très pâle. Elle ne dépasse pas 90 cm de hauteur. La gorgone commune *(Gorgonia ventalina)* ressemble à la précédente, mais ses porosités sont plus serrées. Souvent teintée de bleu ou de mauve, elle peut atteindre 1,50 m. Quant à la gorgone rouge *(Ilicigorgia schrammi)* elle se rencontre uniquement à des profondeurs supérieures à 15 m. Comme son nom l'indique, elle est rouge ou brune. Les gorgones sont des invertébrés octocoralliaires dont les polypes sécrètent un squelette corné.

Notre avis

Tous les récifs proches de Fort Lauderdale sont faciles d'accès et conseillés aux débutants. Les poissons ne sont pas très nombreux, mais la microfaune est très riche. C'est idéal pour la plongée de nuit. Vous pouvez aussi monter plus au nord, vers Pompano Beach, pour profiter de récifs assez similaires, mais un peu moins fréquentés.

2

3

4

1

1) Majestueuse et envoûtante, la statue du Christ des Abysses.

2) La statue du Christ des Abysses mesure 3 m de hauteur et pèse 180 Kg.

KEY LARGO :
Le Christ des Abysses

NIVEAU DE PLONGÉE	★
QUALITÉ DE LA PLONGÉE	★★
ASPECT TOURISTIQUE	★★★

Dans le John Pennenkamp Park, une magnifique statue en bronze accueille le plongeur au milieu d'un parterre corallien de toute beauté. Ce Christ donne un aspect solennel et magique à cette plongée, accessible aux débutants.

Renseignements pratiques

La route US 1 relie Miami à Key West, extrême pointe sud des États-Unis . Juste à l'entrée de Key Largo, sur la gauche, se trouve Atlantis Dive Center. Dirigé par le célèbre Capitaine Slate, c'est un des centres de plongée les plus réputés de l'endroit. Les plongeurs européens y seront bien accueillis, à condition qu'ils puissent présenter un brevet en bonne et due forme.
Key Largo est un des endroits de Floride les plus fréquentés par les plongeurs. Il faut absolument éviter la période de Noël peuplée de vacanciers et le dernier ou l'avant-dernier week-end de juillet consacré à la fête de la langouste. Des milliers de bateaux venant de toute la Floride et d'ailleurs se pressent vers le récif pour le piller de ces crustacés. Pendant trois jours, la pêche

y est autorisée sans aucune contrainte.
Les mois d'octobre à février restent la période idéale pour trouver des eaux claires dans cette région.

Particularités

Atlantis Dive Center conduit les plongeurs sur le Dry Rocks les lundi matin et mercredi après-midi. Comme toutes les plongées «à l'américaine», les sorties en mer comprennent deux bouteilles utilisées consécutivement. Ceci explique les plongées à faible profondeur, les paliers de décompression n'étant pas autorisés lors des plongées commerciales aux États-Unis. Le Christ des Abysses est posé sur un socle de béton à 7,50 m de profondeur. Cette statue en bronze mesure 3 m de haut et pèse 180 kg. C'est la réplique exacte d'une oeuvre de Guido Galletti, immergée près de Gènes dans la Méditerranée. Cette copie a été offerte par la société Cressi, en 1961 à la Société Sous-marine Américaine. La statue n'est pas le seul attrait de cette plongée, même si elle crée une ambiance très particulière. Le récif corallien est d'une grande richesse avec un relief irrégulier et des formes joliment colorées. On rencontre beaucoup de barracudas solitaires et surtout d'énormes madrépores en forme de cerveau. Les poissons montrent de la bonne volonté à se laisser photographier. Une excellente plongée pour se remettre en condition au tout début d'un séjour en Floride.

Notre avis

Il est indispensable de visiter cette zone par mer calme, de manière à bénéficier de la meilleure clarté possible. Key Largo est un centre de plongée fort bien équipé. Tout le matériel peut s'y louer ou s'y acheter. Les photographes pourront faire développer leurs clichés en une heure seulement, dans les boutiques spécialisées. Pour les plus passionnés, Stephen Frinck, célèbre photographe américain, propose des stages d'initiation et de perfectionnement à la prise de vues sous-marines.

2

1

1) Les superstructures du Duane se parent de concrétions colorées.

2) Une magnifique fresque souhaite la bienvenue aux plongeurs à l'entrée de Key Largo.

3) Le mât principal du Duane est gardé par des gros barracudas.

KEY LARGO :
Le Duane, l'épave aux barracudas

NIVEAU DE PLONGÉE	★★★
QUALITÉ DE LA PLONGÉE	★★★
ASPECT TOURISTIQUE	★★★

À quelques brasses du célèbre John Pennenkamp Coral Reef State Park, repose l'épave impressionnante de l'US Coast Guards Duane. Il s'agit d'un des plus beaux bateaux immergés qui puisse se voir dans toutes les Caraïbes.

Renseignements pratiques

Key Largo est le grand rendez-vous des plongeurs de toute la Floride. De part et d'autre de la route US 1, des dizaines de *dive shops* attirent les candidats à la plongée avec leurs grands drapeaux rouges barrés de blanc. Tous ces établissements sont gérés par des professionnels remarquablement équipés. C'est la «plongée business» poussée au maximum, mais on est certain d'une parfaite sécurité et des meilleures conditions de confort.
Nous avons choisi pour notre visite du *Duane,* le groupe Ocean Divers, un des plus importants centres de plongée de la région. Il est situé derrière l'hôtel Holiday Inn, sur Carribean Drive, près de la mer. Chaque centre de plongée a réservé un jour particulier pour la plongée sur

les épaves. Cela évite un rassemblement trop important de plongeurs au même moment. Renseignez-vous à l'avance et réservez car les places sont toujours limitées.

Particularités

Le 27 novembre 1987, le *US Coast Guards Duane*, qui s'était distingué durant la Seconde Guerre mondiale, a été volontairement coulé au sud du récif de Molasses. Ce grand bateau de 98m de longueur est devenu aujourd'hui un récif artificiel qui abrite beaucoup de poissons. Posé droit sur le fond, il est gardé par d'impressionnants barracudas. Les premières superstructures du bateau apparaissent à 27m de profondeur. La bouée d'ancrage principale aboutit sur l'arrière de l'épave.
La plongée se déroule en direction de l'avant. Le point fort de la visite est la grande tourelle d'observation. Elle est devenue un repaire pour de grands barracudas *(Sphyraena barracuda)* fort peu farouches. Ils se laissent approcher à moins d'un mètre, vous gratifiant d'un sourire crispé qui dévoile leurs dents impressionnantes. En pénétrant à l'intérieur du bateau, on rencontre des myriades de poissons *Haemulon plumieri*, notamment. Les parties métalliques externes sont déjà bien concrétionnées et apparaissent dans tout leur éclat coloré sous le faisceau de la lampe.
En raison de la technique américaine *two tanks dive* qui impose deux plongées consécutives, la visite du *Duane* est limitée à une vingtaine de minutes pour éviter par la suite les longs paliers de décompression.

Notre avis

Une plongée sur le *Duane* laisse une impression extraordinaire par la taille gigantesque du bateau et la présence menaçante des barracudas, gardiens bien armés de ces lieux. Il serait souhaitable de plonger plusieurs fois sur ce bateau pour en connaître tous les détails. Deux autres bouées d'ancrage situées à l'avant vous permettront de découvrir un aspect complètement différent de cette fantastique épave. Une plongée à effectuer de préférence le matin et par eau très claire.

2

3

1

1) L'immense Xestospongia muta *accompagnée d'un poisson-ange gris (*Pomacanthus arcuatus*).*

2) Les récifs d'Islamorada recèlent un grand nombre d'éponges presque aussi grosses qu'un plongeur.

3) À Islamorada, ne manquez pas la visite de Theater of the Sea, un marineland pas comme les autres.

ISLAMORADA :

Le récif des éponges géantes

NIVEAU DE PLONGÉE	★★
QUALITÉ DE LA PLONGÉE	★★
ASPECT TOURISTIQUE	★★

Située au cœur des Keys, Islamorada est une des capitales de la plongée en Floride. Dans ces eaux riches d'une faune colorée, les éponges atteignent parfois une taille gigantesque...

Renseignements pratiques

Dans les Middle Keys, à mi-chemin entre Key Largo et Marathon, Islamorada est traversée par la grande route US 1. C'est une ville sans grande particularité, hormis les nombreuses marinas, les centres de pêche au gros et bien sûr les *dive shops*. Nous avons choisi l'équipe de Lady Cyana Divers pour nous faire découvrir les récifs de la région. L'encadrement est effectué par des moniteurs Padi 5 étoiles, ce qui vous garantit la meilleure des sécurités. L'hébergement ne pose aucun problème toutefois, en été et au moment de Noël mieux vaut réserver. Les plongées sur les récifs environnant Islamorada sont organisées tous les jours à 9 h et 13 h. Il s'agit à chaque sortie de deux immersions consécutives sur des fonds ne dépassant pas 16 m.

2

Particularités

Alligator Reef, Crocker Reef, Davis Reef, Conch Reef constituent une barrière continue aux coraux nombreux et variés. On atteint les lieux de plongée en moins d'une demi-heure. En raison de la faible profondeur, il est préférable de ne pas plonger quand la mer est agitée. Les bateaux peuvent accueillir jusqu'à 30 plongeurs à la fois. Évitez les week-ends surchargés.
Les récifs d'Islamorada sont très caractéristiques des Caraïbes. Le corail est nettement dominé par les gorgones et surtout les grandes éponges en forme de cornet. Brunâtres et couvertes d'aspérités, elles ont une texture minérale. Il s'agit pourtant d'un animal, même s'il n'est pas doué du moindre mouvement. Le monde des éponges est d'une impressionnante complexité. La forme géante qui abonde ici peut atteindre 2 m de hauteur et permettre à un plongeur de pénétrer à l'intérieur. Mais ne le faites pas, car la bordure de l'entonnoir et la structure de l'éponge sont fragiles. Elles cassent facilement, risquant de provoquer la mort de l'animal. Sachant que l'éponge géante (*Xestospongia muta*) grandit de moins de 2 cm par an, il est désolant de voir qu'un plongeur peut détruire en quelques secondes ce que la nature a bâti en plusieurs générations.

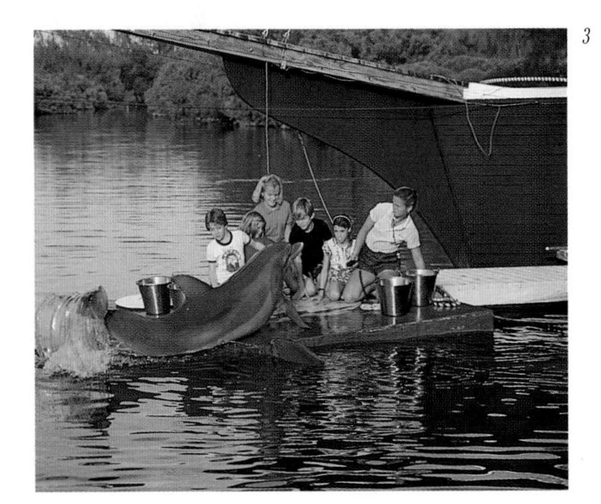

3

Notre avis

Ne manquez pas, lors de votre séjour à Islamorada, de visiter l'épave de l'*Eagle*. Il s'agit d'un grand bateau couché sur le flanc par 40 m de profondeur. Il est habité d'une très riche faune, notamment des poissons-anges multicolores *(Holacanthus cilaris)* et de murènes vertes *(Gymnothorax funebris)*. Lady Cyana Divers ne propose pas moins de 12 plongées différentes sur les récifs.

1

1) *Au cœur des Keys, Marathon est une petite ville discrète, idéale pour les vacances.*

2) Ocyurus chrysurus, *un amical compagnon de plongée.*

3) *Une ambiance du récif, avec* Acanthurus coeruleus *qui s'éloigne.*

4) *Le grogneur jaune et noir* (Anisotremus virginicus).

MARATHON : Fantaisie en couleurs

NIVEAU DE PLONGÉE	★
QUALITÉ DE LA PLONGÉE	★★
ASPECT TOURISTIQUE	★

Au cœur des Keys de Floride, Marathon s'enorgueillit de deux des plus beaux récifs de corail de l'Atlantique. Immense construction naturelle, cette barrière est peuplée d'une foule de poissons bigarrés. Une plongée détente...

Renseignements pratiques

Située dans les Middle Keys, à mi-chemin entre Key Largo et Key West, Marathon est une petite ville de vacances et de pêcheurs. Rien n'incite à s'y arrêter si ce n'est les immenses drapeaux de plongée rouges barrés de blanc. Ils foisonnent sur les murs des *dive shops* et au fronton des modestes, mais sympathiques pensions de famille. C'est un lieu de shopping important, indispensable halte sur le chemin du sud. Ocean Diver's et The Diving Site comptent parmi les centres les mieux équipés. Comme dans de nombreux clubs de plongée américains, on pratique ici la plongée «à la carte». Vous payez la prestation en fonction de sa spécificité et de l'équipement dont vous avez besoin. mais n'hésitez pas à demander un *dive package*. Si

4

2

vous restez plusieurs jours dans le même hôtel, vous ferez de substantielles économies. Le Sombrero Reef est situé environ 4 km au large de Marathon. Il est balisé par un grand phare. On le considère comme la meilleure plongée du coin. C'est un récif peu profond qui dépasse rarement 10 m de profondeur. L'eau y est très claire, surtout en hiver.

Particularités

L'idéal est de plonger juste au pied du phare et de se laisser glisser entre les patates de corail, toutes plus riches les unes que les autres. Les tables de corail *Acropora* que l'on nomme aussi cornes de cerf abondent dans le secteur. Elles servent d'abri et de nourriture à des myriades de petits poissons. Les plus familiers sont les lutjans ou snappers à queue jaune *(Ocyurus chrysurus)*, reconnaissables à leur queue jaune citron en forme de V. Curieux, ils vous accompagnent pendant votre plongée. Ces poissons peuvent atteindre 60 cm. Ils sont couramment pêchés et délicieux grillés... Magnifiques avec leur livrée jaune d'or, les *Thalassoma bifasciatum* virevoltent en bancs de dix à vingt sujets. Il faut les approcher en douceur, sinon ils s'enfuient au premier grondement de vos bulles expirées. On rencontre aussi dans ce récif, une riche variété de coraux en forme de cerveau (*Diploria, Colpophylia, Meandrina,* etc.),

3

ainsi que de nombreuses gorgones et petites éponges. Prenez votre temps à explorer chaque anfractuosité, elle recèle souvent de merveilleux invertébrés. Vous pouvez fort bien épuiser vos deux bouteilles réglementaires dans le même endroit sans vous ennuyer le moins du monde.

Notre avis

Abandonnez tout projet de plonger dans cette région pendant la semaine comprise entre Noël et le nouvel an. C'est absolument complet et réservé des mois à l'avance. On vous garantit à cette période des barbotages à 40 plongeurs minimum dans chaque site... Fin juillet, l'affluence est presque aussi importante.

1

2

1) Une plongeuse découvre la comatule Davidaster rubiginosa.

2) Les bras hérissés de la comatule cherchent en permanence des petites proies à capturer.

3) Un peu serpentiforme, l'ophiure Ophiothrix suensonii *est posée ici sur un spongiaire.*

KEY WEST :
Les cheveux de sorcières

NIVEAU DE PLONGÉE	★★
QUALITÉ DE LA PLONGÉE	★★
ASPECT TOURISTIQUE	★★★

À l'extrême pointe sud des États-Unis, Key West est une ville chargée d'histoire. La plongée y est facile et agréable, dans des petits fonds peuplés d'êtres étranges aux formes mystérieuses...

Renseignements pratiques

À 160 km de Key Largo, Key West est un petit paradis tropical dont les maisons en bois du XIXe siècle disparaissent en partie au milieu d'une végétation foisonnante. South Point est situé seulement à 90 milles de Cuba. On atteint Key West par la US 1, après avoir passé d'immenses ponts, ouvrages d'art d'une rare élégance. Key West est surtout célèbre pour sa douceur de vivre. On plonge bien sûr à l'américaine, sous la bannière Padi. Pour chaque sortie, le plongeur dispose de deux bouteilles. En raison de la faible profondeur, on peut rester longtemps sous l'eau, ce qui ravira les photographes.
Seasport Diving Center, Looe Key Dive Center, Pro Dive Shop ainsi que Key West Looker Diving entre autres, organisent chaque jour

deux sorties sur les récifs. Il est également possible de s'adonner à l'apnée, le snorkeling comme on dit ici.

Particularités

On ne plonge pas directement aux alentours de Key West, mais au sud sur Outside Reefs, Western Dry Rocks ou à l'ouest sur The Lakes. Le récif le plus proche est South Beach Patch, très réputé pour ses échinodermes. Crinoïdes, ophiures, gorgonocéphales déploient leurs bras hérissés et souples comme des cheveux de sorcières. Les crinoïdes sont les plus anciens de la famille. Apparus dès l'ère primaire, il y a 350 millions d'années, ils n'ont guère évolué depuis. Les bras, gracieux comme des plumes, servent à filtrer l'eau de mer, à travers les fines pinnules. Les minuscules proies capturées glissent naturellement vers la bouche pentagonale située au centre du «buisson». Les crinoïdes rencontrés à Key West sont le plus souvent orange ou jaune d'or. Il s'agit de *Davidaster rubiginosa* dont il existe aussi une forme noire.

Etrange animal ressemblant à une étoile de mer mais aux bras très fins comme des cheveux, l'ophiure a un côté reptilien par son mouvement sinueux permanent. Le nom ophiure est dérivé du grec signifiant «queue de serpent». Ces animaux répartis dans toutes les mers se rencontrent souvent près des éponges ou des coraux. Ils se nourrissent d'animalcules ou de débris organiques. L'espèce la plus répandue aux Caraïbes est *Ophiothrix suensonii.*

Plus inquiétants encore par leur aspect chimérique, les gorgonocéphales déploient leurs innombrables bras pendant la nuit pour piéger le plancton. Pendant la journée, ils se réfugient le plus souvent à l'intérieur des éponges ou se crispent sur les éventails des gorgones.

Notre avis

C'est un endroit formidable pour s'initier à la découverte des invertébrés et pénétrer l'univers fabuleux et riche de toute une microfaune colorée.

3

NORD CARAÏBES

NORD CARAÏBES

Baignant à l'est de la Floride, en plein océan Atlantique, les îles du nord des Caraïbes regroupent l'archipel des Bahamas et les Turks et Caicos. Il y fait beau toute l'année et, hormis en certaines périodes de l'hiver, les vents très doux permettent la plongée dans des eaux claires et tranquilles. Dix voyages de un mois ne suffiraient pas à révéler toute la richesse et la variété des sites de plongée des Bahamas. En raison de la qualité des équipements, de l'accessibilité des sites et de la douceur des eaux, les Bahamas sont un endroit idéal pour découvrir les joies de la plongée et s'initier aux techniques des activités subaquatiques. Gérés à l'américaine, les centres de plongée sont d'un rare professionnalisme et ne laissent jamais rien au hasard. C'est aux Bahamas que nous avons découvert les plus spectaculaires nourrissages de requins que l'on puisse observer aujourd'hui. Pratiquement inconnues en Europe, les Turks et Caicos méritent votre visite pour leurs plages de sable très pur, un climat ensoleillé et des sites de plongée riches et variés. En raison de leur nombre et de leur diversité, la plupart des récifs restent encore inexplorés. Les Turks et Caicos sont l'endroit rêvé pour réaliser une croisière-plongée de plusieurs jours, à bord d'un des nombreux bateaux luxueusement équipés qui croisent dans ces eaux.

*Page précédente : le poisson-ange royal (*Holacanthus cilaris*) est une des plus belles espèces de toutes les Caraïbes. Il se découpe sur un fond de spongiaires éclatants.*

Page de droite : au nord des Bahamas, la rencontre époustouflante en pleine mer avec une troupe de dauphins tachetés.

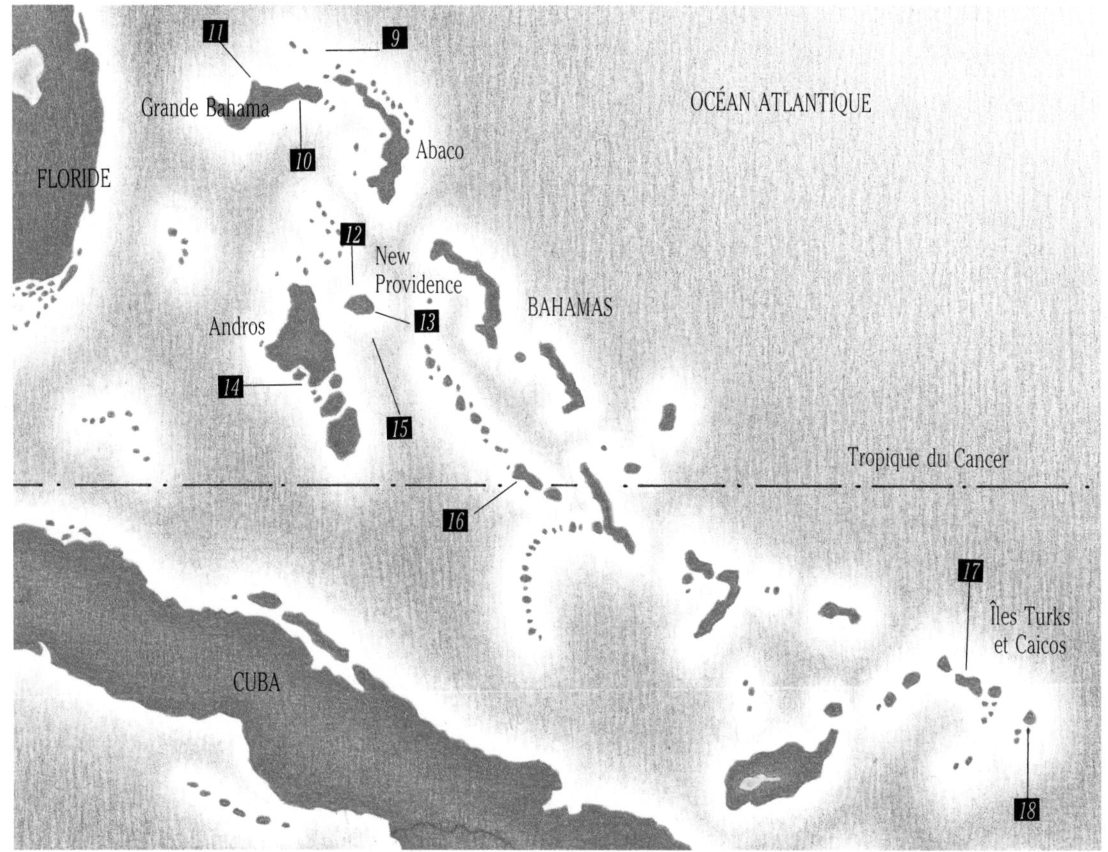

9 *Walker's Cay*
10 *Theo's Wreck*
11 *Coral Star*
12 *Coral Harbor*
13 *South West Reef*
14 *Andros*
15 *Crown Islander*
16 *Le Comberbach*
17 *Provo*
18 *Grand Turk*

1

1) Eclatant dans la lumière, le poisson-trompette (Aulostomus maculatus).

2) Vue aérienne de Walker's Cay.

3) Les poissons-trompettes se cachent souvent dans les gorgones.

4) Les poissons-trompettes sont peu farouches.

5) La marina de Walker's Cay abrite de luxueux bateaux de pêche.

WALKER'S CAY :
Un petit air de trompette

NIVEAU DE PLONGÉE	★
QUALITÉ DE LA PLONGÉE	★★
ASPECT TOURISTIQUE	★★★

Tout au nord des 700 îles de l'archipel des Bahamas, Walker's Cay est un paradis pour les amoureux de la mer. Ce petit coin de nature nous a séduits par ses innombrables poissons-trompettes, qui jouent dans une incroyable variété de coraux.

Renseignements pratiques

Minuscule île privée située à l'extrême nord de l'atoll de Abaco, Walker's Cay est un haut lieu de la plongée et de la pêche au gros. Deux fois par jour, des *Twin Otter* appartenant au complexe hôtelier et à la marina, relient Fort Lauderdale (Floride) à Walker's Cay en quarante minutes de vol. Bien qu'elle mesure moins de 3 km de long, l'île possède son propre aéroport. À la descente de l'avion, on se trouve pratiquement les pieds dans l'eau. Une paillote miniature sert de guérite pour les formalités de police et de douane. On plonge immédiatement dans l'ambiance tropicale...
La meilleure saison pour la plongée se situe entre avril et octobre. Cependant, de novembre à mars, le temps reste beau, mais le vent

souffle parfois assez fort. Baignées par le Gulf Stream, les Bahamas bénéficient d'une eau chaude et claire presque toute l'année. Le climat y est légèrement différent des autres îles cousines des Caraïbes. La plongée est organisée par le Walker's Cay Dive Shop, intégré au complexe hôtelier. 2 bateaux et 120 bouteilles attendent les plongeurs.

Particularités

La plupart des 20 lieux de plongée les plus fréquentés se trouvent dans moins de 10 m d'eau. Le récif est un des plus complexes de toutes les Caraïbes. On rencontre beaucoup de poissons-trompettes *(Aulostomus maculatus)* à Queen's Reef. Longs de 60 à 80 cm, ces poissons jaunes, bruns ou rouges accompagnent le plongeur dès son immersion et se montrent toujours curieux. Avec leur forme allongée, ils se caractérisent par leur gros nez et leur nage assez lente. Les poissons-trompettes doivent leur nom au curieux son qu'ils émettent quand on les touche. Cette expérience peut surtout être tentée de nuit, quand le poisson endormi ne manifeste plus la moindre méfiance. En raison de sa facilité d'accès et de l'absence de courant, la plongée nocturne est particulièrement conseillée dans cet endroit. Sur le récif, il n'y a pas le moindre danger.

3

4

2

5

En revanche, côté extérieur, vers le nord, les grands tombants sont le domaine privilégié des requins-marteaux.
Walker's Cay était un ancien repaire de pirates. L'île doit d'ailleurs son nom au Capitaine Walker, lieutenant du célèbre «Blackbeard», un des plus terribles flibustier des Caraïbes. Quelques légendes de trésors engloutis circulent bien sûr dans l'île.

Notre avis

Les amoureux de la nature prendront beaucoup de plaisir à séjourner dans cette île. De nombreuses espèces d'oiseaux nichent au milieu de la végétation luxuriante.
C'est un endroit tranquille, idéal pour des vacances sportives. Ne manquez surtout pas une journée de pêche au gros...

1

1) Impressionnante par ses dimensions et sa position couchée : Theo's Wreck.

2) Grande Bahama est riche d'une belle végétation tropicale.

3) À 30 m de profondeur gît l'hélice.

4) L'eau limpide permet d'apprécier l'épave dans son ensemble.

THEO'S WRECK : Le géant couché

NIVEAU DE PLONGÉE	★★★
QUALITÉ DE LA PLONGÉE	★★★
ASPECT TOURISTIQUE	★★★

Coulé volontairement en 1982 pour l'agrément des plongeurs, le cargo Théo est aujourd'hui une épave très visitée. Géant couché sur un fond de sable, il est une des rares plongées «profondes» du secteur.

Renseignements pratiques

Il est préférable de s'installer à Lucayan Beach, près de Freeport, pour être à proximité immédiate des meilleurs sites de plongée de Grande Bahama. Unexso est le centre de plongée le plus professionnel de l'endroit. Deux sorties hebdomadaires sont proposées sur Theo's Wreck. C'est une plongée très populaire, peut-être parce que le célèbre magazine américain *Skin Diver* l'a baptisée : «la super épave de Freeport».
Le cargo *Théo* a été coulé à vingt minutes au large par 30 m de fond. L'endroit a été spécialement choisi pour la transparence de ses eaux presque toute l'année. La meilleure période se situe de mai à septembre. C'est la saison chaude, avec de l'eau à 25-26°C. Mais le centre Unexso est ouvert toute l'année.

2

autour du *Théo*, patrouillent de nombreuses carangues, surtout des jeunes sujets. En se rapprochant du fond, on rencontre de jolies éponges orange, des spondyles, des crabes et de nombreuses holothuries. Les plus belles concrétions sont regroupées le long de la chaîne d'ancre. C'est souvent le lieu le plus fréquenté par les plongeurs. De nuit, une quantité impressionnante de crabes ermites sortent des éponges qui les abritent pour s'offrir aux flashes des photographes.

3

4

Pour se rendre à Grande Bahama, il faut d'abord rejoindre Miami (Floride). Ensuite, il existe plusieurs vols quotidiens sur Air Bahama et de nombreuses compagnies américaines.

Particularités

Theo's Wreck est un grand bateau de près de 80 m de longueur. il gît couché sur le côté bâbord et semble quasiment intact. Malgré dix années d'immersion, peu de concrétions attaquent sa coque. C'est dû au très faible courant qui sévit dans l'endroit. On a recensé plusieurs dizaines d'espèces de poissons et d'invertébrés à proximité de l'épave. À l'intérieur du cargo vivent quelques murènes. Elles ont fait leur antre de ces infrastructures compliquées. Tout

Notre avis

Nous avons beaucoup aimé cette épave pour sa parfaite conservation et son aspect monumental. Quand l'eau n'est pas très limpide, elle se découpe comme un fantôme sur le fond et rend beaucoup plus dramatique cette plongée «profonde».
Pour les Américains qui gèrent les centres de plongée des Bahamas, atteindre 30 m de profondeur est uniquement réservé aux très bons plongeurs. Toutes les plongées s'effectuant sans paliers, le temps de visite est bien sûr forcément limité.
Si par malheur vous n'aviez pas beau temps, n'hésitez pas à vous venger en «dévalisant» les casinos. Ils pullulent littéralement dans l'île.

1) La fantaisie des dauphins incite les plongeurs aux plus folles pitreries. Très joueurs, ces animaux se laissent même toucher.

2) Le Coral Star, un bateau d'origine danoise, stable et à l'épreuve du gros temps.

3) Après une semaine d'attente, une famille de dauphins tachetés (Stenella plagiodon) nous fait les faveurs de sa présence.

4) Une bonne condition physique et une excellente apnée sont nécessaires pour profiter au mieux de la présence des dauphins.

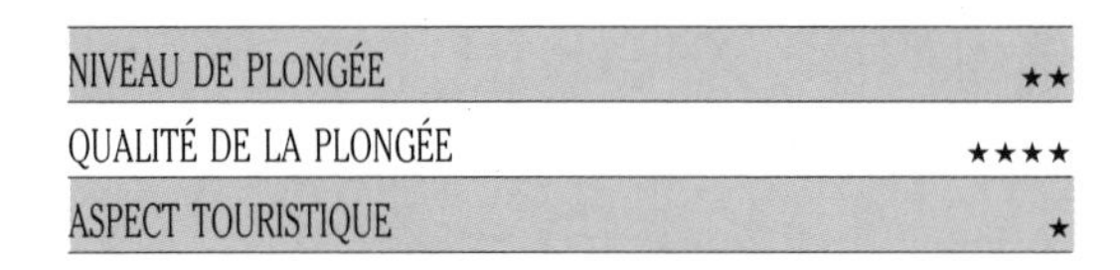

CORAL STAR :
La sublime rencontre

NIVEAU DE PLONGÉE	★★
QUALITÉ DE LA PLONGÉE	★★★★
ASPECT TOURISTIQUE	★

Un tête à tête avec des dauphins sauvages est hautement improbable au quotidien. Nous vous invitons à cette rare et unique expérience au cours d'une expédition forte en émotions et en passion...

Renseignements pratiques

En mai-juin quelques rares bateaux partent de Freeport à Grande Bahama ou de Fort Lauderdale en Floride pour rejoindre Little Bahama Bank, un haut fond sableux complètement isolé, au nord de l'île de Grande Bahama.
Nous avons choisi le *Coral Star*, un solide bateau de 30 m qui est le seul à séjourner plusieurs jours sur place. Appartenant à la compagnie Coral Bay Cruise, ce confortable navire, d'une stabilité remarquable, peut accueillir une quinzaine de plongeurs. Notez que de janvier à mars, le *Coral Star* réalise des expéditions similaires à la rencontre des baleines sur le Banc d'Argent, au nord de la Dominique. Il est aussi parfaitement équipé pour la plongée avec compresseur, bouteilles, etc.

3

La croisière dure sept jours pendant lesquels, on ne touche pas la terre. Il est nécessaire de posséder une bonne expérience de la mer pour profiter entièrement de cette aventure exceptionnelle, mais parfois un peu éprouvante.

Particularités

À la période choisie pour la croisière, de nombreux dauphins rejoignent les eaux peu profondes de Little Bahama Bank. Ils fouillent les fonds sableux avec leur rostre, cherchant coquillages et petits poissons dont ils se nourrissent. C'est là qu'il est possible de les approcher. Par 6 à 12 m de profondeur, dans une eau d'une clarté exceptionnelle à 27°C, des familles de trois à dix dauphins, et parfois même plus, se gavent en toute quiétude de leurs mets favoris.
Il ne s'agit pas ici de véritable plongée car on utilise très rarement la bouteille. Tous les mammifères marins détestent le bruit que font les détendeurs lorsqu'ils évacuent les bulles. S'il est possible, en de rares occasions, de toucher un dauphin en apnée, jamais ils ne se sont approchés à moins de 5 m quand nous étions en scaphandre.
Deux espèces se rencontrent couramment dans les eaux des Bahamas. Le dauphin à nez de bouteille *(Tursiops truncatus)* est commun mais assez peu sociable. Il aime nager à l'étrave du bateau, mais s'éloigne souvent très vite dès que le navire s'arrête. Les rencontres les plus intimes se font avec les dauphins tachetés *(Stenella plagiodon)*. Plus petits, ils ne dépassent pas 2,40 m. La plupart des adultes ont le corps couvert de taches sombres. Mais on rencontre aussi des sujets entièrement gris uni.

4

Notre avis

Si vous choisissez de réaliser cette expédition, sachez être patients car les dauphins seuls décident où et quand ils accepteront la présence des hommes. Il est possible de croiser pendant plusieurs journées sans faire de vraies rencontres. Et puis soudain, c'est le miracle ! Sans savoir pourquoi ni comment, les dauphins s'élancent dans une farandole endiablée, prenant un réel plaisir à jouer avec vous, allant jusqu'à se laisser caresser et même agripper par la dorsale. Un contact bref, mais intense, qui laisse des souvenirs inoubliables.

1

1) Bien abrités derrière le récif, les plongeurs assistent à la ronde des requins.

2) Carcharhinus perezi un requin assez agressif, fréquent dans les eaux des Bahamas.

CORAL HARBOR :
La ronde des requins

NIVEAU DE PLONGÉE	★★
QUALITÉ DE LA PLONGÉE	★★★★
ASPECT TOURISTIQUE	★★★

Au sud-ouest de l'île de New Providence, par 15 m de fond, une douzaine de requins dansent autour des plongeurs. Une grande plongée spectacle, les dents de la mer à moins de un mètre de votre masque...

Renseignements pratiques

Ile principale des Bahamas, New Providence est dominée par la capitale Nassau. On y côtoie les plus fantastiques bateaux de croisière de toutes les Caraïbes. Bénéficiant d'un climat subtropical, New Providence permet de plonger toute l'année. Les récifs étant assez éloignés, l'eau reste toujours claire et avoisine 28 à 29°C la plus grande partie de l'année.
Depuis cinq ans, le Nassau Scuba Center donne régulièrement à manger à un groupe de requins sédentaires. 2 bateaux pouvant accueillir respectivement 10 et 20 plongeurs dans le meilleur confort, se rendent plusieurs fois par semaine sur les lieux. Comme dans toutes les zones dominées par Padi, chaque sortie comprend deux plongées successives.

2

Particularités

Après cinquante minutes de croisière, on arrive sur le récif frangeant, à la limite du tombant. Le temps de s'équiper, les requins de récif *(Carcharhinus perezi)* sont déjà là. Quelques gros mérous de 30 à 40 kg, attendent les plongeurs comme des majordomes. Les visiteurs se déploient en arc de cercle sur le récif. «Didi», le moniteur descend avec un seau bien étanche renfermant 30 kg de bonites. Les requins savent que l'heure du festin est proche. Ils commencent leur ronde par une nage lente. Progressivement, ils resserrent le cercle et se font de plus en plus pressants. Nullement impressionnés par les plongeurs, ils arrivent de face et tournent au dernier moment, parfois à seulement 50 cm de votre masque. La nourriture n'est offerte aux prédateurs qu'à la fin de la plongée. Cela permet aux photographes de profiter du ballet des requins. On a une grande impression de sécurité, du fait de la présence du récif qui semble constituer une protection. Le spectacle est marqué par une progression du suspense. D'abord épisodique, le nourrissage s'achève dans une frénésie démentielle, les requins se bousculant sur le seau ouvert, tandis que les mérous profitent aussi du festin.

Carcharhinus perezi se caractérise par sa forme effilée. C'est une espèce de taille moyenne qui ne dépasse jamais 3 m. Sa longueur habituelle est d'environ 1,80 m. Gris argenté sur le dos, ce requin est blanc sur la face ventrale. Il apprécie les récifs peu profonds et se rencontre en abondance autour de nombreuses îles des Caraïbes. D'un tempérament vif et agressif, il est considéré comme dangereux, surtout à l'encontre des chasseurs sous-marins.

Notre avis

C'est sans doute à l'heure actuelle un des tout meilleurs *shark feeding* qui puisse se voir dans le monde. C'est dû à la clarté de l'eau, la faible profondeur et au décor de corail vraiment magnifique. Une plongée très intense surtout sur le plan des sensations, mais très sûre en fin de compte.

1

1) Un petit groupe de Haemulon sciurus *s'abrite sous un grand corail corne de cerf* (Acropora).

2) Virevoltants et peu farouches, les rougets (Mulloidichthys martinicus) *se regroupent en bancs compacts.*

3) À quelques coups de palmes de South West Reef, gît l'épave de James Bond.

SOUTH WEST REEF :

Le jardin de corail

NIVEAU DE PLONGÉE	★
QUALITÉ DE LA PLONGÉE	★★★
ASPECT TOURISTIQUE	★★★

À quelques encablures de Coral Harbor, le récif sud-ouest est idéal pour une seconde plongée. Dans une eau peu profonde, un riche jardin de corail et de gorgones s'est développé. Ici, règnent la lumière et les lutjans...

Renseignements pratiques

Après avoir vibré dans les profondeurs des grands tombants, les petits fonds de South West Reef sont parfaits pour terminer en douceur la classique sortie *two tanks dive*. Les amateurs de plongée de nuit trouveront aussi l'occasion de satisfaire leur curiosité. Le récif se découpe en massifs coralliens irréguliers à 5-7 m sous la surface. C'est un des endroits préférés du Nassau Scuba Center pour l'initiation des débutants. On ne peut guère rêver mieux pour découvrir les joies de la plongée que ce décor féerique où fourmillent les poissons. L'hiver européen et le début du printemps constituent la période idéale pour plonger dans cet endroit. De juin à octobre, le temps est très doux et la mer calme, d'où une surabondance de poissons.

2

Particularités

Situé à près d'une heure de bateau de la côte, ce récif irrégulier est composé d'innombrables «patates» coralliennes qui accueillent une abondante faune sédentaire de gorgones, éponges et autres invertébrés. La configuration des bateaux avec leur grande plate-forme arrière rend la mise à l'eau très confortable. Le courant est pratiquement inexistant sur ce récif. Les eaux cristallines sont une bénédiction pour le plongeur.
L'hôte le plus familier des lieux est un petit lutjan à bande jaune *(Ocyurus chrysurus)*. Généralement solitaire, il se prend vite d'amitié pour les visiteurs palmés. Ce poisson de 40 cm de longueur en moyenne vous accompagne durant toute votre exploration, passant et repassant devant votre masque, avec un petit air effronté.
Toujours groupés en bancs, les rougets à bande jaune *(Mulloidichthys martinicus)* et les lutjans-écureuils *(Haemulon sciurus)* font de cette plongée un enchantement. Peu farouches, ils se laissent approcher à un mètre seulement.
Très proche de ce récif se trouve une épave. Lorsqu'on la découvre pour la première fois elle nous semble déjà familière. Il est vrai qu'elle a été coulée spécialement pour le tournage du James Bond «Jamais plus, jamais». Le bateau apparaît dans le film lors d'une séquence inoubliable avec des requins-tigres. Ces derniers ayant été capturés plus au large, on peut toujours rêver d'une rencontre avec les monstres...

3

Notre avis

Cette plongée laisse une impression de jubilation intense. On a la sensation de s'être immergé dans un aquarium. De nuit, c'est une toute autre faune que nous dévoile le récif, avec l'apparition des coquillages, la chasse des crabes et l'épanouissement de tous les polypes de corail.

1

1) *Une gorgone* (Muricea muricata) *se découpe dans le contre-jour des trous bleus.*

2) *Les bateaux à fond plat du Small Bay Hope Lodge sont très confortables pour les plongeurs.*

3) *Dans les cavernes des trous bleus, les lutjans* (Lutjanus apodus) *viennent à la rencontre des plongeurs.*

4) *Impressionnantes cavernes, les trous bleus vous entraînent dans les entrailles de la terre.*

ANDROS :
Dans l'infini des trous bleus

NIVEAU DE PLONGÉE	★★★★
QUALITÉ DE LA PLONGÉE	★★★
ASPECT TOURISTIQUE	★★

Curieuses formations géologiques, les trous bleus d'Andros ont longtemps été une énigme. Parmi les grottes et les éboulis, vous aurez l'impression de devenir spéléologue dans la quatrième dimension...

Renseignements pratiques

À une heure d'avion de Fort Lauderdale (Floride), ou quinze minutes de Nassau, se trouve Andros, la plus grande île de l'archipel des Bahamas. C'est aussi la moins habitée. Du fait de son isolement, elle offre un grand dépaysement. C'est la cassure avec le monde extérieur.
Le Small Bay Hope Lodge est un complexe de petits bungalows éparpillés parmi les cocotiers et les filaos. Vous arrivez en client vous repartirez en ami. L'ambiance est très familiale. On se sent pratiquement chez soi. Pas de clés, pas de contraintes. La plongée est une spécialité de l'endroit. En vingt-huit ans d'activité, les propriétaires ont eu l'occasion de connaître sur le bout des palmes les moindres recoins de plongée. Quel que soit votre niveau de plongée, un test

d'aisance vous sera imposé : vidage de masque, lâcher d'embout et communication au fond. Le relatif isolement de l'île et la législation locale ont rendu ce test obligatoire.

Particularités

Véritable éponge naturelle, Andros est formée de roches calcaires poreuses qui renferment un immense réservoir d'eau douce. Les trous bleus se forment par éclatement de la roche qui cède sous la pression de l'eau douce qu'elle contient. Ce phénomène se produit, par exemple, lors des grandes marées, quand l'eau de mer située à l'extérieur n'assure plus l'équilibre de pression nécessaire. Il en résulte la constitution de galeries et de grottes qui, partant de la terre, aboutissent en mer par un immense trou bleu. Certains se forment à 30 ou 40 m de profondeur. Il peut y avoir plus de 1 km de galeries, ce qui rend la plongée assez périlleuse. La rencontre de l'eau douce et de l'eau de mer forme un liquide corrosif pour la roche. Il s'ensuit la formation de stalactites et de stalagmites dans certaines galeries.
Ces plongées sont rarement proposées à la clientèle. Seuls quelques privilégiés, sélectionnés pour leur aisance et leur absence de claustrophobie, pourront faire cette plongée d'exception. Andros offre aussi des plongées plus faciles sur des récifs frangeants peu profonds. On y rencontre toute la faune habituelle des Caraïbes dans des eaux claires et très chaudes.

Notre avis

Une plongée parfois angoissante. Dans le noir absolu, juste guidé par la lampe et l'expérience du moniteur, il faut avoir confiance. C'est un grand soulagement quand, enfin, on aperçoit le fameux trou bleu, signe de la possibilité de remonter vers la surface. Pour les amateurs d'émotions fortes, sensations garanties.

2

3

4

1

1) *Le poisson-ange français* (Pomacanthus paru) *semble couvert de louis d'or.*

2) *Très familier, le poisson-ange gris* (Pomacanthus arcuatus) *fait le beau à quelques centimètres du plongeur.*

3) *Les poissons-anges gris peuvent dépasser 40 cm de longueur ; ils nagent avec beaucoup d'élégance.*

4) *Le poisson-ange gris se nourrit de proies minuscules. Il n'est pas craint par les autres espèces.*

CROWN ISLANDER :
Croisière avec les anges

NIVEAU DE PLONGÉE	★★
QUALITÉ DE LA PLONGÉE	★★
ASPECT TOURISTIQUE	★★★

Véritable palace flottant, le Crown Islander est un bateau de plongée d'un confort inconnu en Europe. C'est l'idéal pour les amoureux des poissons-anges et les «fous d'air», le nombre de plongées étant illimité...

Renseignements pratiques

Le *Crown Islander* est basé à Nassau. C'est un bateau de 43 m de long qui peut accueillir 32 personnes dont 15 plongeurs. Un équipage de 7 personnes est aux petits soins pour les hôtes. Au menu : plongée à l'infini et nourriture en abondance. Incroyable mais vrai, après chaque immersion, on vous offre systématiquement un repas ! Tout est inclus dans le forfait de départ. Dirigée par des moniteurs Padi, la plongée est libre. Il faut impérativement présenter un brevet (CMAS ** minimum) avant l'embarquement. Pour les débutants, il est possible de prendre des leçons, mais la bonne maîtrise de l'anglais est obligatoire. À tout instant, il y a un membre de l'équipage pour aider à la mise à l'eau ou au déséquipement des plongeurs.

2

3

4

Tout à bord est prévu pour une plongée confortable. Les photographes apprécieront la présence d'un laboratoire (traitement E6). Possibilité de louer un équipement vidéo ou un appareil photo (Nikonos).

Particularités

Les croisières sont prévues pour 3, 4 ou 7 jours. Le bateau tourne autour de l'île de New Providence. Grâce à un ordinateur de bord, il mouille impeccablement sur les meilleurs récifs, à la limite des tombants. Étant directement sur le lieu de plongée, on en bénéficie au maximum. Nous avons surtout apprécié la présence quasi permanente de poissons-anges assez familiers. Deux espèces fort communes se ressemblent beaucoup. Le poisson-ange gris *(Pomacanthus arcuatus)* et le poisson-ange français *(Pomacanthus paru)*. Ce dernier se caractérise par ses taches jaune d'or sur un fond gris foncé. Le poisson-ange gris, lui, présente une robe d'un beau gris métallisé. Joueurs et même cabotins, ces poissons de 40 à 50 cm de long paradent autour des plongeurs. Ils acceptent même rapidement la nourriture qu'on leur donne à la main. Ces poissons habitent toujours les eaux peu profondes, il est rare qu'on les rencontre à plus de 18-20 m de profondeur. Souvent par couple, ils se nourrissent principalement d'invertébrés et d'algues. Les jeunes, très différents des parents, sont noirs striés de jaune. On distingue les deux espèces à la forme de la queue. Le poisson-ange français a la queue arrondie, alors que le gris a une queue coupée verticalement.

Notre avis

Exceptionnelle sur le plan du confort et de la prestation technique, cette croisière pose quelques problèmes écologiques. Chaque jour, le bateau jette plusieurs fois son énorme ancre d'une tonne dans le récif, causant des dégâts irréparables dans l'écosystème. Pourquoi ne pas baliser les plongées une fois pour toutes comme cela se fait dans d'autres régions ?

1

1) À 30 m de profondeur, l'hélice du Comberbach crée une impression saisissante.

2) Des concrétions commencent à colorer joliment la coque de l'épave.

3) Grand cargo coulé bien droit, le Comberbach est en parfait état de conservation.

LE COMBERBACH :

Un géant endormi

NIVEAU DE PLONGÉE	★★
QUALITÉ DE LA PLONGÉE	★★★
ASPECT TOURISTIQUE	★

Cargo volontairement coulé, par 30 m de fond, le Comberbach est posé avec grâce au milieu d'un récif parmi les coraux. C'est la plongée parfaite pour les plongeurs moyens, désirant découvrir une première épave en toute sécurité.

Renseignements pratiques

Stella Maris est une île de forme allongée, mesurant 90 miles (150 km) de long. Coupée en son milieu par le tropique du Cancer, elle fait partie de l'archipel de Long Island, à l'extrême sud des Bahamas. On y accède par avion depuis Nassau. Il est aussi possible de rejoindre cette île isolée depuis Fort Lauderdale (Floride). La compagnie Island Express propose un vol quotidien de près de deux heures vers Stella Maris. En dépit de son isolement, l'île est peuplée de 5000 habitants, disséminés dans trente petits hameaux.
Le Stella Maris Inn est un complexe hôtelier composé de petites villas. Il possède son propre centre de plongée, situé à 15 minutes de voiture, à la Marina Yacht Club. C'est de là que

2

partent chaque matin pour toute la journée les 3 bateaux de plongée. Des croisières de plusieurs jours sont possibles sur demande. D'avril à octobre, l'eau est la plus claire avec des concentrations impressionnantes de poissons.

Particularités

Plus de 27 sites très variés ont été balisés par les professionnels du Stella Maris Inn. Le *Sol Mar III* et son immense plate-forme mobile permet la mise à l'eau très confortable de 20 à 25 plongeurs. Après quarante-cinq minutes de navigation, on atteint le récif où gît le *Comberbach*. Ce cargo de 30 m de long est posé verticalement. Coulé en 1986, il est devenu le repaire d'un grand nombre de poissons. Bien balisé, le bateau est relié à la surface par un filin. Cela permet une descente tranquille et des paliers confortables. L'eau très limpide permet d'apprécier l'épave dans sa totalité. À 15 m du flanc gauche du *Comberbach*, on rencontre une autre épave, un voilier de 15 m en acier. D'un blanc délavé, avec son mât brisé, il offre un aspect un peu maléfique. À ses côtés, la masse imposante du *Comberbach* paraît très rassurante.
Parmi les autres plongées les plus réputées de Stella Maris, citons Reef Shark où, depuis dix ans, une expérience de nourrissage des requins est menée avec succès. Barracuda Head mérite aussi le détour en raison de ses bancs énormes de carangues et son abondance de mérous. Ces derniers sont si habitués aux plongeurs qu'ils se laissent caresser.

Notre avis

Les fonds sont si riches et variés à Stella Maris que cette île mérite bien un séjour d'une semaine pour dévoiler tous ses trésors. Il est dommage que l'infrastructure hôtelière soit limitée. Même si le Stella Maris Inn offre tout le confort possible, on a vite l'impression de manquer d'animation. Une île exclusivement pour les passionnés de plongée ou de pêche au gros.

3

1

1) Epinephelus cruentatus *dans une séance de dentiste.*

2) Le mérou à bouche jaune (Mycteroperca interstitialis).

*3) Posé sur une éponge, le mérou de Nassau (*Epinephelus striatus).

PROVO: Au rendez-vous des mérous

NIVEAU DE PLONGÉE	★★
QUALITÉ DE LA PLONGÉE	★★
ASPECT TOURISTIQUE	★

Oubliées des Caraïbes, les Turks et Caicos mériteraient d'être plus connues. Bien équipées pour la plongée, elles offrent une multitude de sites variés et colorés avec la garantie d'une rencontre nez à nez avec de bons gros mérous.

Renseignements pratiques

Perdues à environ 650 km de l'extrémité sud-est des Bahamas, les îles Turks et Caicos (on dit aussi les îles Caïques) couvrent seulement 430 km². Elles sont situées à mi-chemin entre Miami et Porto Rico. Des liaisons aériennes depuis Miami assurent régulièrement la desserte de Providentiales (ou Provo pour les initiés) avec les vols internationaux. Chaud, ensoleillé et aride toute l'année, le climat, avec 26° C en moyenne est très propice à la plongée.
Les centres de plongée sont essentiellement situés sur Provo. Nous vous recommandons surtout Provo aquatic Center, Provo Turtle Diver et Third Turtle Divers, ces deux derniers se trouvant respectivement à l'hôtel Island Princess et au Third Turtle Inn. L'île est bordée par une

barrière de corail peu profonde. Le récif est si vaste qu'il demeure en grande partie inexploré. On accède sur les sites par bateau, la distance de la côte n'excède jamais 1 mille. Une société pour la protection des récifs et des îles (PRIDE) a été fondée en 1976. Sa devise est : « ne prenez que des photos, tuez seulement le temps et ne laissez que vos bulles». A méditer...

Particularités

C'est sur le récif nord de Providentiales que nous avons rencontré une des concentrations les plus impressionnantes de mérous de toutes les Caraïbes. Une grande partie de ce récif est encore vierge. Il se compose d'énormes pâtés de corail dépassant rarement 12 m de hauteur et séparés par des canyons étroits. Dans le Grouper Hole, c'est à dire le trou aux mérous, on rencontre surtout le mérou rayé ou mérou de Nassau *(Epinephelus striatus).* Ce gros poisson débonnaire peut atteindre 1,20 m de longueur. Paresseux, il se laisse souvent flotter entre deux eaux ou se pose avec nonchalance sur une grosse éponge. Plus petit, mais très coloré, le mérou rouge *(Epinephelus cruentatus)* est appelé ici *Graysby.* Il présente une robe assez variable à dominante rouge, orangé ou brun et toute tachetée. On le reconnaît à ses beaux yeux bleus. Quant au mérou à bouche jaune *(Mycteroperca interstitialis),* il est un peu moins commun mais reconnaissable à l'intérieur de sa bouche jaune citron. Il peut atteindre 1 m. Tous ces poissons sont de voraces prédateurs chassant de préférence à l'affût. Il est facile de les approcher car ils sont curieux.

3

Notre avis

C'est une belle plongée qui vous laisse un petit goût d'aventures et de découvertes, à condition d'utiliser les petits bateaux et non les grosses unités transportant plus de 20 plongeurs à la fois. Visitez les Caicos en dehors des grandes périodes de vacances et vous ne serez pas déçu par la richesse des fonds.

2

1

1) Jojo est un grand dauphin (Tursiops truncatus) *qui depuis plusieurs années apprécie la présence des plongeurs.*

2) Le centre de plongée Omega diving offre une architecture et une décoration assez originales, mais un service très sérieux.

3) Seuls les plongeurs patients bénéficient du privilège d'une rencontre nez à nez avec Jojo.

4) Melocactus intortus, *avec son céphalium en forme de bonnet turc a donné son nom aux îles Turks.*

GRAND TURK:

Notre ami Jojo, le dauphin

NIVEAU DE PLONGÉE	★
QUALITÉ DE LA PLONGÉE	★★★
ASPECT TOURISTIQUE	★★

Rendu célèbre par Jacques Mayol, l'homme-dauphin, Jojo est depuis longtemps l'ami des plongeurs. Nous l'avons rencontré à Grand Turk, alors que curieusement, il vit d'ordinaire à Providenciales, à près de 100 milles à l'ouest...

Renseignements pratiques

En dépit de son nom, Grand Turk est une des plus petites îles de l'archipel des Turks et Caicos. Elle se situe au sud-est, reliée régulièrement à Miami par Carnival Airlines. Les quelque quarante îles qui composent les Turks et Caicos sont frangées par plus de 300 km de récifs. Les Bahamas sont toutes proches, mais ici, l'ambiance est beaucoup plus sauvage. Le nom de Turks vient d'un cactus (*Melocactus*), très abondant sur l'île, dont une partie oblongue rouge (le céphalium) ressemble au «fez», le chapeau traditionnel des Turcs. L'île est assez aride, avec seulement 60 à 80 cm de précipitations par an.
Deux centres de plongée importants se trouvent sur Grand Turk. Le Omega, avec lequel nous

avons plongé, et le Blue Waters. Bien équipés, ils offrent aussi un encadrement très sérieux. Tous les sites de plongée sont d'accès facile, en général à moins de dix minutes de bateau. La mer est le plus souvent calme, car les côtes ne sont pas exposées aux vents dominants. Tous les lieux de plongée sont balisés avec des mouillages. Cela permet d'éviter aux bateaux d'abîmer les récifs. Ici, les moniteurs de plongée sont extrêmement attentifs aux dégâts que pourraient provoquer les plongeurs trop lestés ou ne sachant pas plonger sur les coraux. La population locale est très sympathique, mais la vie relativement chère.

Particularités

L'habitant le plus célèbre des eaux des Turks et Caicos est sans nul doute, Jojo le dauphin. À la fois sauvage et apprivoisé, il se plaît en la compagnie des plongeurs. Nous l'avons rencontré à Aquarium sur un fond de sable d'une dizaine de mètres de profondeur. C'est un récif ouvert sur le large avec de fréquents passages de poissons pélagiques. On peut y rencontrer des baleines à bosse, de façon très ponctuelle entre janvier et avril. Une des plongées les plus célèbres de Grand Turk se nomme Tunnel. Cet endroit recèle un paysage somptueux avec des poissons peu craintifs. C'est une plongée facile en raison de l'absence totale de courant. La profondeur est comprise entre 10 et 40 m. L'endroit doit son nom à un tunnel qui perce le récif à une quinzaine de mètres de profondeur et ressort sur la pente externe à 20 m.

3

2

Notre avis

La plongée avec Jojo laisse une impression formidable, car une rencontre complice avec un mammifère marin est toujours un enchantement. Rares sont les endroits où il soit possible de vivre une telle expérience. Mais Jojo est assez fantasque, il n'est jamais certain d'être au rendez-vous...

4

CENTRE CARAÏBES

CENTRE CARAÏBES

Dominé par Cuba, l'île la plus étendue de la mer des Antilles, le centre des Caraïbes s'étend tout en longueur sur un archipel allant du sud de la Floride aux îles Vierges, les plus septentrionales des îles du sud des Caraïbes. Le climat y est paradisiaque avec des températures moyennes constantes, autour de 24-26°C. Ceci a permis le développement d'innombrables récifs coralliens qui s'offrent à la curiosité des plongeurs. Le centre des Caraïbes connaît un développement spectaculaire sur le plan des activités subaquatiques. Les îles Cayman, par exemple, sont devenues le rendez-vous à la mode des plongeurs américains. Cuba est très prisée des européens. Ils y trouvent des tombants vertigineux qui permettent des plongées profondes très excitantes.

La Jamaïque, assez discrète, vit dans la nonchalance du Reggae. Elle recèle encore des immensités sous-marines totalement vierges. L'influence espagnole fait de Porto Rico un pays original, vivant, animé. Bien connues pour leurs pêches souvent miraculeuses, les eaux de Porto Rico s'ouvrent petit à petit au tourisme subaquatique. Les sites, encore peu explorés, vous garantissent une plongée parmi des coraux intacts et colorés. Les îles Vierges terminent notre périple dans cette région. Elles sont divisées en deux parties. L'une, appartient aux États-Unis, l'autre, à la Grande-Bretagne. Ces îles, très découpées, gagneraient à être mieux connues car elles recèlent quelques uns des meilleurs sites de plongée de toutes les Caraïbes, avec en plus l'assurance du confort et de la sécurité.

Page précédente : les eaux de la région du centre des Caraïbes sont souvent d'une clarté remarquable avec une visibilité pouvant dépasser 30 m. Des plongées de rêve pour les photographes.

Page de droite : un banc de mulets (Mulloidichthys martinicus) *s'éloigne doucement dans les eaux de Grand Cayman. Au premier plan, un remarquable corail corne d'élan* (Acropora palmata).

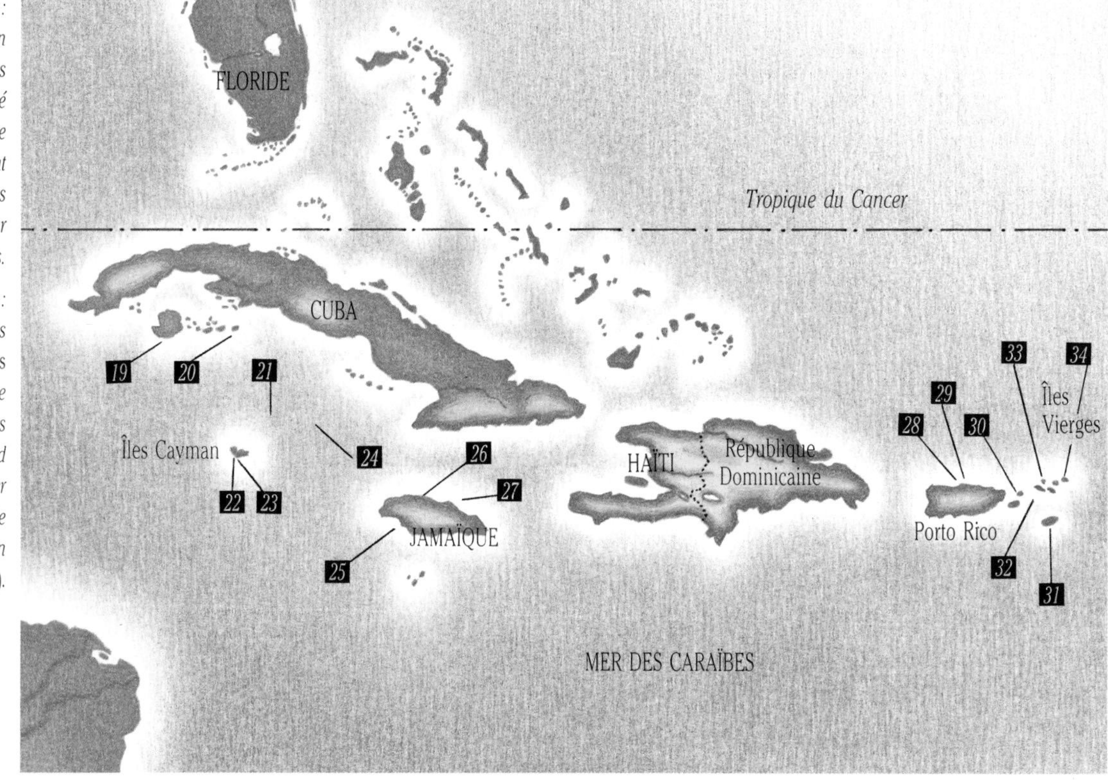

19 *La côte des pirates*
20 *Cayo Largo*
21 *Bloody Bay*
22 *North Wall*
23 *Sting Ray City*
24 *Airport Reef*
25 *Sands Club Reef*
26 *Montego Bay*
27 *Paradise Reef*
28 *San Juan*
29 *Fajardo*
30 *Culebra*
31 *Sainte-Croix*
32 *Saint Thomas*
33 *Salt Island*
34 *Virgin Gorda*

1

1) Le poisson-grogneur (Haemulon flavolineatum) est une sorte de lutjan, très commun à Cuba.

2) Les poissons-grogneurs se rencontrent en bancs animés au milieu des gorgones.

3) La légende de l'île au Trésor est attachée à l'île des Pins.

LA CÔTE DES PIRATES :
La parade des lutjans

NIVEAU DE PLONGÉE	★★★
QUALITÉ DE LA PLONGÉE	★★★
ASPECT TOURISTIQUE	★

Haut lieu de la plongée à Cuba, l'île de la Jeunesse est entièrement dédiée au tourisme et aux vacances. Sur les tombants, les poissons habitués aux plongeurs offrent un comportement familier. Une bénédiction pour les photographes...

Renseignements pratiques

L'île de la Jeunesse est plus connue sous son ancienne appellation d'île des Pins. La grande majorité des plongées s'effectuent sur la Côte des Pirates , belle anse située entre Punta Francès et Punta Perdernales. Elle doit son nom au fait d'avoir été un port naturel pour les célèbres écumeurs des mers Drake et Morgan. Des sorties plus lointaines sont aussi organisées le long de la péninsule, jusqu'à Cabo Francès.
L'île de la Jeunesse est également célèbre pour avoir servi de cadre à l'extraordinaire roman de Robert Louis Stevenson : «L'île au Trésor». Située dans la mer des Caraïbes à 150 km de La Havane, l'ancienne île des Pins est bordée par d'importants récifs. On a recensé plus de 1500 espèces de poissons, coraux, éponges,

2

crustacés et autres invertébrés. Après avoir brûlé partiellement, l'hôtel Colony a entièrement été refait. Il offre aujourd'hui une qualité d'hébergement tout à fait honorable.

Particularités

Le centre de plongée de l'hôtel Colony jouit d'une grande réputation tout à fait justifiée, tant par la qualité de ses équipements que de la plongée. Chaque site est méticuleusement répertorié et porte un nom évocateur comme la Cave du Mystère, le Tunnel de l'Amour, l'Ancre du Pirate, la Vallée de Corail etc. La plupart des plongées s'effectuent par 20 à 35 m de fond. Les eaux à 26°C en moyenne, sont claires en saison sèche de novembre à avril.

Les récifs aux formes variées constituent de magnifiques paysages sous-marins. Richement peuplés, ils permettent de découvrir d'immenses bancs de poissons. Les grogneurs *(Haemulon)* sont les plus représentés. On rencontre régulièrement une dizaine d'espèces différentes. Ces poissons proches des lutjans vivent pour la plupart en groupes de trente à cent individus. Leur taille varie entre 30 et 40 cm.

L'espèce la plus commune est *Haemulon sciurus* appelé parfois lutjan-écureuil ou grogneur

3

à bandes bleues. C'est un très joli poisson jaune, finement rayé de bleu. En retenant bien sa respiration, le plongeur peut s'approcher très près de ces poissons. Très abondants aussi, les poissons créoles *(Clepticus parrai)* sont très voisins des girelles. Ils ne dépassent pas 30 cm et virevoltent dans tous les sens.

Notre avis

L'île de la Jeunesse permet de découvrir des récifs plus profonds que d'habitude aux Caraïbes. Cela donne souvent plus d'intensité, de force, de mystère à la plongée. Lors de la saison des pluies, les eaux sont plus troubles, mais souvent plus poissonneuses encore.

1

1) La langouste commune des Caraïbes (Panulirus argus) se rencontre dans les zones rocheuses.

2) Les plages de sable blanc de Cayo Largo sont une invite au farniente.

3) Peu farouches, les langoustes se laissent capturer à la main. Pas question bien sûr de les remonter.

CAYO LARGO :
Au pays des langoustes

NIVEAU DE PLONGÉE	★★
QUALITÉ DE LA PLONGÉE	★★
ASPECT TOURISTIQUE	★★

Les célèbres langoustes de Cuba se rencontrent en abondance dans les eaux de Cayo Largo. Les récifs baignant dans une eau pure sont une bénédiction pour les plongeurs et les fervents des sports nautiques.

Renseignements pratiques

À trente minutes de vol de La Havane, Cayo Largo est une ancienne base militaire, transformée en zone de villégiature. Elle reste assez spartiate, mais l'ambiance est décontractée. La population locale de pêcheurs est fort aimable. Il est possible de louer un bateau pour quelques heures ou à la journée. La plongée est organisée par le seul hôtel de l'île. Les fonds varient de 5-6 m autour du platier à plus de 60 m dès qu'on s'éloigne vers les tombants. Septembre à décembre sont propices à la plongée en raison de la douceur des vents.
Les récifs ne bénéficiant d'aucun abri, la plongée au large n'est possible que par beau temps. Evitez les mois de janvier et février où menacent souvent de sévères dépressions tropicales.

2

3

Particularités

Les récifs de Cayo Largo se singularisent surtout par leur abondance de langoustes. Il ne s'agit pas de barrières coralliennes continues, mais d'une succession de formations madréporiques ponctuant les fonds de sable. Cet environnement est tout à fait propice à la prolifération des langoustes. Ces dernières se rencontrent surtout dans les faibles profondeurs. Il est même possible de les approcher en apnée. Ces crustacés profitent des moindres anfractuosités de rochers pour s'y nicher. Il est fréquent de voir plusieurs sujets empilés les uns sur les autres. Cela vaut à certains récifs le surnom de «HLM à langoustes». En majorité, les langoustes de Cayo Largo mesurent une quarantaine de centimètres de longueur. Mais on rencontre souvent des «monstres» de plus de 60 cm.
La femelle langouste pond environ 15 000 œufs. Ils restent accrochés sous son abdomen jusqu'à l'éclosion. Les larves de 3 mm de longueur vivent alors en pleine mer, se laissant porter au gré du courant. Deux mois après, elles commencent leur vie sédentaire, consommant surtout des débris organiques. Comme tous les crustacés, les langoustes sont soumises à des mues fréquentes au fur et à mesure qu'elles grandissent. Elles doivent se débarrasser de leur carapace (squelette externe) devenue trop petite, tandis que l'épiderme en sécrète une toute nouvelle. C'est à cette période que la langouste est la plus menacée par ses prédateurs.

Notre avis

Cayo Largo peut sembler un peu tristounette en raison des faibles infrastructures dont elle dispose. Mais il y règne une ambiance assez sympathique et décontractée. La présence d'une abondante mangrove alentour peut être l'occasion d'une plongée très originale parmi les palétuviers, à la découverte de tout une microfaune ou d'un nez à nez... avec un crocodile !

1) Minuscules anémones, les Parazoanthus swiftii ressemblent beaucoup à des polypes.

2) Les îles Cayman sont très accueillantes comme en témoigne leur blason.

HE HATH FOUNDED IT UPON THE SEAS

WELCOME TO THE CAYMAN ISLANDS

BLOODY BAY :

Les anémones aux mille bras

NIVEAU DE PLONGÉE	★★
QUALITÉ DE LA PLONGÉE	★★★
ASPECT TOURISTIQUE	★

Au cœur d'un récif habillé par les éventails des gorgones et les grands vases des éponges, se cache une remarquable variété d'anémones, habitants discrets aux bras venimeux...

Renseignements pratiques

Little Cayman est la plus petite et la moins peuplée des trois îles constituant les îles Cayman. Elle est entourée par une épaisse mangrove qui lui donne un aspect exotique charmant. Depuis février 1986, les eaux des îles Cayman sont considérées comme un parc marin. Pour protéger le corail, des mouillages fixes ont été installés sur les sites de plongée les plus fameux. Cela facilite beaucoup leur accès et leur localisation. Comme dans toutes les zones protégées, il est interdit de collecter quoi que ce soit.
Plusieurs hôtels peuvent accueillir les plongeurs sur Little Cayman : Pirates Point Resort, Sam Mc Coy's Diving Lodge ou Southern Cross Club par exemple. Mais le nombre des chambres est limité et les prix fort élevés. La meilleure solu-

tion pour découvrir complètement et confortablement toutes les richesses de Little Cayman est de participer a une croisière-plongée. Les Cayman Aggressor sont à juste titre les bateaux les plus réputés.

Particularités

Bloody Bay est située à l'ouest de l'île. La plongée peut commencer dans 1 m d'eau seulement, le récif affleurant presque la surface. On descend ensuite progressivement jusqu'à 6 m. Puis, c'est la chute brutale, vertigineuse jusqu'a 1,80 m. En suivant les coraux à faible profondeur, vous aboutissez au Three Fathom Wall, un tombant magnifique qui s'enfonce en escaliers jusqu'à 35 m environ. Il est beaucoup plus accueillant pour les «touristes palmés».

Les anfractuosités rocheuses recèlent une microfaune incroyablement riche, en particulier les anémones ; mais il y a d'innombrables formes d'éponges, de tuniciers, de gorgones et leurs hôtes habituels : crevettes, gobies, crabes et coquillages.

Les petits cnidaires coloniaux du groupe des zoanthides sont très proches des anémones. *Parazoanthus swiftii* et *Zoanthus pulchellus* peuvent être facilement confondus avec des polypes de corail. Ces animaux sédentaires se développent souvent sur des éponges. D'autres anémones ressemblent beaucoup à des coraux. C'est le cas de *Discosoma sanctithomae* aux tentacules courts de couleur verte et *Ricordea sp* qui ressemble à une plante et montre souvent des propriétés fluorescentes.

La plus grande anémone de ces eaux est *Condylactis gigantea*. Pouvant atteindre 30 cm de diamètre, elle se reconnaît à la pointe pourpre de ses tentacules. Autre animal ressemblant aux anémones, le cérianthe peut porter jusqu'à cent tentacules qui se rétractent quand on s'approche sans précaution.

Il ne faut pas confondre cérianthe et spirographe, ces derniers étant des vers tubiformes.

Notre avis

Le tombant de Bloody Bay est considéré par beaucoup de spécialistes américains comme une des plus belles plongées du monde. Disons, plus modestement, qu'il fait partie des meilleurs endroits des Caraïbes.

3) Parazoanthus sp, *une magnifique anémone rouge qui se groupe en colonie compacte.*

4) *Les tentacules de l'anémone sont souvent très urticants.*

5) *Une plongeuse observe une superbe anémone* (Condylactis gigantea).

6) Ricordea sp., *une anémone très compacte aux bras arrondis.*

7) Cerianthus membranaceus, *un invertébré très proche des anémones.*

3

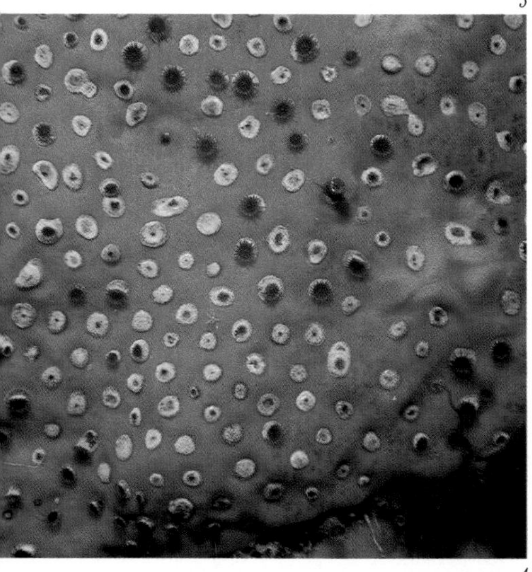

4

5

6

7

1

1) La ferme des tortues de Grand Cayman est un établisement pilote qui contribue à la sauvegarde de l'espèce.

2) La tortue caret (Caretta caretta) *se reconnaît à sa tête très volumineuse.*

3) La tortue verte (Chelonia mydas) *est l'espèce la plus fréquemment rencontrée.*

NORTH WALL:
Le mystère des tortues de mer

NIVEAU DE PLONGÉE	★★
QUALITÉ DE LA PLONGÉE	★★★
ASPECT TOURISTIQUE	★

Elevées dans une ferme modèle près de Georgetown, la capitale, les tortues marines abondent dans les récifs de Grand Cayman, notamment sur les grands tombants du nord de l'île. Des plongées à la réputation internationale tout à fait justifiée.

Renseignements pratiques

Découvertes le 10 mai 1503 par Christophe Colomb, les îles Cayman étaient déjà réputées pour leurs tortues dès cette époque. Depuis, ce magnifique animal est resté l'emblème du pays. C'est une tortue, déguisée en pirate avec une jambe de bois, qui figure sur le blason officiel de Grand Cayman.
Cette colonie britannique est une des destinations les plus prisées par les plongeurs américains. L'infrastructure y est excellente avec un large choix d'hôtels de toutes catégories.
Les habituelles *dive shops* sont le plus souvent liées à un centre hôtelier pour disposer de toutes les facilités. Nous pouvons vous recommander entre autres : Bob Soto's, Divi Tiara, Treasure Island, Sunset House, Eden Rock, Don Fos-

2

ter's, etc. La plupart de ces centres de plongée proposent des forfaits complets avec l'hébergement et la liaison aérienne depuis Miami.

Particularités

Le North Wall est un des hauts lieux de la plongée des Caraïbes avec des dizaines de sites recensés. Il débute au niveau de la ferme des tortues, et se prolonge jusqu'au No Name Wall, une des très grandes plongées de Grand Cayman. Tous ces récifs sont caractérisés par des tombants assez vertigineux. Ils permettent de rencontrer fréquemment des tortues croisant avec grâce dans le bleu intense et limpide.
Animaux en voie de disparition, les tortues marines abondent à Grand Cayman. Il est vrai qu'on en élève des milliers à des fins commerciales mais aussi scientifiques. À chaque génération, 10 % des tortues parvenues à un bon développement sont relâchés autour de l'île, ce qui représente un pourcentage supérieur à celui des naissances naturelles (moins de 5 %). Cela explique sans doute que la rencontre avec ce beau reptile à carapace soit aussi fréquente.
Trois espèces se partagent les eaux : la tortue à écaille *(Eretmochelys imbricata)* est la plus rare car elle a été exterminée pour la joaillerie. C'est la plus petite, les sujets rencontrés dépassant rarement 50 kg. La plus commune est la tortue caret *(Caretta caretta)* de couleur brune. Elle pèse 90 à 150 kg. On rencontre également la tortue verte *(Chelonia mydas)*, reconnaissable à sa très grosse tête. Elle peut devenir énorme, dépassant les 300 kg.

Notre avis

Les îles Cayman recèlent d'innombrables sites de plongée. Si vous appréciez la découverte loin des hordes, pensez à effectuer une croisière d'une semaine à bord d'un bateau spécialement aménagé pour la plongée. Les Cayman Aggressor sont des unités de grand confort permettant une plongée illimitée sur les meilleurs sites, même les plus éloignés.
Vivez aussi une aventure unique avec les excursions en sous-marin organisées à Grand Cayman. RSL emmène deux visiteurs jusqu'à 240 m (800 pieds) pour l'observation de la faune abyssale. Quant à l'Atlantis, il se contente de 40 m, mais il peut transporter quatorze passagers. Une aventure unique.

3

1

1) À Sting Ray City, un plongeur dans un tourbillon de pastenagues.

2) Gourmandes, les raies couvrent complètement ceux qui leur apportent des friandises.

3) Vu du ciel, le site de plongée semble accueillant par son eau claire.

4) Les raies adorent venir se poser sur la tête des visiteurs palmés.

STING RAY CITY :

La farandole des pastenagues

NIVEAU DE PLONGÉE	★
QUALITÉ DE LA PLONGÉE	★★★★
ASPECT TOURISTIQUE	★★

Depuis quelques années, Sting Ray City est devenu un des hauts lieux de la plongée mondiale. Nulle part ailleurs, une telle histoire d'amour a pu être vécue entre l'homme et les raies aux dards venimeux...

Renseignements pratiques

À 400 km de Cuba, Grand Cayman bénéficie d'un climat agréable toute l'année. Il est très facile de rejoindre Georgetown, la capitale depuis Miami après un peu plus de une heure de vol sur Cayman Airways ou Eastern Airlines. La saison des pluies est comprise entre juin et novembre. Il est préférable de se consacrer à la plongée entre décembre et mai. L'eau claire, offre une température agréable de 25° à 26°C. Tout ici est organisé à l'américaine, c'est-à-dire sans surprise. La plongée est une des principales industries touristiques locales. Les centres professionnels sont innombrables. On compte plus de 70 bateaux pouvant chacun accueillir entre 25 et 30 plongeurs. Certains trouveront sans doute un peu pesant cette concentration

2

3

4

incroyable de «grenouilles humaines». Évitez si possible les fêtes de Noël et Pâques. Le centre de plongée le plus important de l'île est le Bob Soto's Diving Center. Il est dirigé par le célèbre Ron Kipp, le découvreur de Sting Ray City.

Particularités

Sur le North Wall, c'est-à-dire le récif nord, à environ trente minutes de bateau, «la vallée des raies» connue aussi sous le nom de Sting Ray City prolonge le Tarpon Alley. Ce dernier endroit est connu pour sa concentration d'une centaine d'énormes tarpons. Ici, le corail s'évanouit doucement, laissant la place à une grande étendue de sable, domaine des pastenagues. Ces raies grises sur le dos, blanches sur la face ventrale sont redoutées pour leur dard venimeux. D'ordinaire assez timides et plutôt solitaires, elles vivent ici en groupes d'une vingtaine et se montrent exceptionnellement familières. D'une gourmandise sans égal, elles viennent avaler les seiches que leur apportent les plongeurs. Dans un vol plané gracieux, elles frôlent le visiteur et se posent même sur sa tête pour activer leur demande. Il faut parfois se contorsionner pour glisser la friandise dans la bouche de l'animal. Cette «attraction» est mondialement célèbre et demeure unique dans les annales de la plongée. Elle vaut bien sûr par l'extraordinaire familiarité des raies, même si l'on peut reprocher aujourd'hui leur comportement assez aberrant. À la limite, ces raies sont presque devenues incapables de se nourrir seules, habituées à être gavées par les plongeurs.

Notre avis

Sur le plan du spectacle, il s'agit d'une plongée exceptionnelle ; d'autant plus qu'elle se déroule par 3 m de fond seulement. Aujourd'hui, les centres de plongée des îles Cayman, limitent leurs sorties vers Sting Ray City afin de protéger ce site. Les amoureux de la nature en seront ravis.

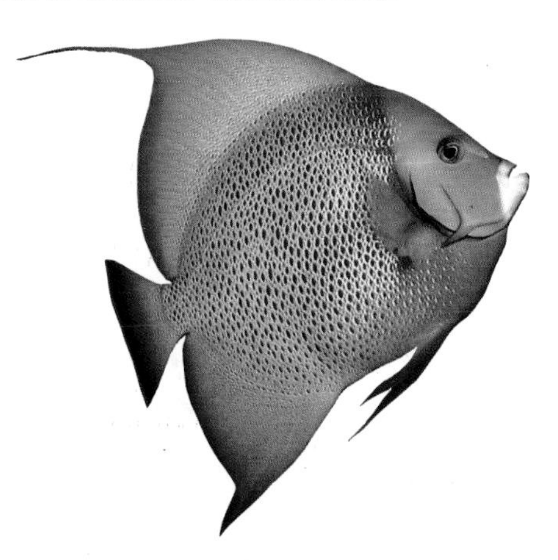

1

*1) Dans une ambiance de récif d'une rare richesse, un poisson-perroquet (*Sparissoma viride*) vient à la rencontre du plongeur.*

*2) Le perroquet bleu (*Scarus coelestinus*) est une espèce caractéristique des eaux des Caraïbes.*

*3) Assez farouche, le poisson-perroquet (*Sparissoma viride*) se dissimule dans les coraux à la moindre alerte.*

4) Les bateaux de plongée de Cayman Brac sont de petite taille, mais très bien équipés.

AIRPORT REEF : Carnaval sous la mer

NIVEAU DE PLONGÉE	★★
QUALITÉ DE LA PLONGÉE	★★★
ASPECT TOURISTIQUE	★★

À l'extrême pointe sud de la petite île de Cayman Brac, un récif entaillé de failles profondes, offre une très bonne plongée-détente. C'est un endroit coloré, animé par le va-et-vient incessant des poissons-perroquets multicolores.

Renseignements pratiques

Très proche de Little Cayman, mais éloignée de 138 km de Grand Cayman, Cayman Brac est une petite île tout en longueur, en partie sauvage. Une abondante végétation de plantes grasses et de cactées crée un paysage assez particulier, mi-jungle, mi-aride. L'île mesure 20 km de long sur 3 km de large. C'est autour de l'aéroport situé à la pointe ouest de l'île que se trouvent les plus intéressants des 36 sites de plongée recensés officiellement sur Cayman Brac. Deux clubs professionnels importants assurent aux plongeurs de passage des excursions subaquatiques en toute sécurité. Il s'agit de Peter Hughes Dive Tiara qui possède 5 bateaux et de Brac Aquatics, un peu plus petit avec 3 bateaux. Ces deux clubs effectuent deux sorties quotidiennes.

Celle du matin comprend deux plongées consécutives, celle de l'après-midi, une seule bouteille. Vous pouvez aussi préférer découvrir les charmes de cette île à bord d'un bateau de croisière confortable. Little Cayman Diver est un bateau de 21,5 m qui accueille seize passagers. Il offre la possibilité de plongées illimitées avec, notamment, une plongée de nuit chaque soir. Toute la partie ouest de Cayman Brac est très plate avec de jolies plages, tandis que l'est offre un paysage plus vallonné avec des collines et des falaises. Beaucoup moins fréquentée que sa grande sœur Grand Cayman, Little Cayman est à conseiller à tous les plongeurs européens qui souhaitent éviter les hordes de «touristes palmés» qui déferlent à longueur d'année dans les clubs de Grand Cayman.

Particularités

L'ensemble des récifs généreux de Cayman Brac est loin d'avoir été exploré. Chaque année de nouveaux «spots» de qualité sont découverts par les plongeurs locaux. Les sorties se déroulent surtout au voisinage de l'aéroport. Airport Wall est un célèbre tombant qui plonge verticalement dans l'abîme, à partir de 21 m de profondeur. Tout à côté, End of the Island est une plongée facile aux environs de 25 m. Beaucoup de sites sont moins profonds, compris entre 6 et 15 m de profondeur. Certains, comme Radar Reef se trouvent à moins de 150 m de la plage.

3

4

2

Nous avons été enchantés par la clarté de l'eau et le relief assez tourmenté des récifs. Beaucoup semblent creusés en profondeur, véritables balafres dans la roche vivante. Ils se prêtent à une exploration tranquille à la découverte d'une faune souvent étrange.

Mais nous avons surtout été séduits par les nombreux poissons-perroquets qui paradent dans ces eaux. Ils sont moins imposants que dans l'océan Indien par exemple, mais offrent des couleurs plus variées.

Plus d'une douzaine d'espèces sont communes dans les eaux des Caraïbes. Nous avons surtout rencontré *Sparissoma viride*, un poisson au dimorphisme très accentué. À l'âge adulte, il est femelle et présente une livrée lie-de-vin tachetée de grosses écailles blanches. La tête est verdâtre. En vieillissant, le poisson se transforme en mâle. Il se pare alors de couleurs chatoyantes à dominantes vertes et turquoise avec par endroit des marques jaunes.

Notre avis

Cayman Brac est un endroit charmant à découvrir pour tous les plongeurs qui apprécient les récifs tranquilles et poissonneux sans risque de rencontres trop inquiétantes.

1) Les premières branches de corail noir se rencontrent à partir de 25 m de profondeur. Ici, associées à des gorgones Eunicea.

2) La région de Negril offre une végétation luxuriante avec de nombreux torrents.

3) Les Antipathaires, *que l'on nomme couramment corail noir, sont plus proches des gorgones que des coraux véritables.*

SANDS CLUB REEF :

Les mystères du corail noir

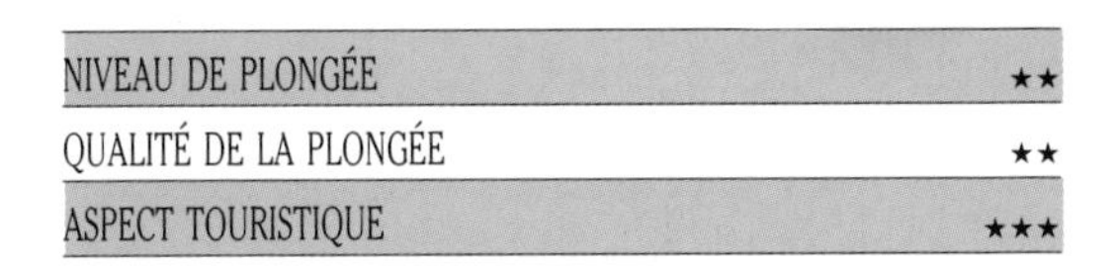

NIVEAU DE PLONGÉE	★★
QUALITÉ DE LA PLONGÉE	★★
ASPECT TOURISTIQUE	★★★

Dans la partie basse d'un récif poissonneux, des buissons de corail noir accueillent le plongeur avec leurs longs bras très ramifiés. Véritable animal-plante, ce faux corail est une curiosité de la nature et un joyau de bijouterie...

Renseignements pratiques

Située tout à l'ouest de la Jamaïque, la région de Negril est très prisée des plongeurs pour ses eaux particulièrement calmes. C'est un endroit que les amateurs d'apnée apprécieront tout particulièrement. Negril Scuba Center et Blue Whale Divers sont les plus importants centres de plongée de l'endroit. Ils disposent respectivement de 8 et 6 bateaux et offrent des sorties quotidiennes à deux bouteilles. Vous pouvez également vous adresser au Mariners Diving Resort, un petit hôtel qui possède un club de plongée intégré.
Negril est un centre touristique assez important, réputé pour son artisanat local. On y rencontre de nombreux sculpteurs sur bois et des marchands de coquillages. Le paysage est joliment vallonné avec une végétation tropicale luxuriante. Negril a conservé un peu de son authenticité de petit village de pêcheurs. On y découvre ici et là de fort jolies maisons, aux balcons colorés, très caractéristiques. C'est un endroit sympathique et encore assez authentique où l'on appréciera beaucoup le Reggae.

Particularités

Sands Club Reef est une des grandes plongées de Negril. Assez poissonneux, ce récif se caractérise par des formations coralliennes de très grande taille.
À partir de 25 m de profondeur, on pénètre dans le royaume du corail noir. Appelé aussi corail corné, ce cœlentéré ressemble à un arbuste aux branches fines et nombreuses. La plupart des espèces de l'ordre des *Antipathaires* qui rassemble les différentes formes de corail noir, vivent dans des eaux profondes. Les plus belles «branches» se découvrent par 40 m de fond minimum. Le corail noir est formé par une colonie de polypes pourvus de six à vingt-quatre tentacules selon les espèces. Ils sécrètent un squelette externe cornu de couleur noire ou brun foncé. Ces animaux se fixent sur la roche ou directement dans le sable. Nous avons pu observer des formations de près de 2 m de hauteur ce qui est assez exceptionnel. En effet, le corail noir est de plus en plus recherché pour la bijouterie. Dans certaines régions, il a presque complètement disparu en raison d'un prélèvement abusif. Le corail noir n'est pas spécifique aux Caraïbes. Bon nombre d'espèces sont très cosmopolites et se rencontrent aussi bien en mer Rouge qu'en océan Indien.

3

Notre avis

Negril est en passe de devenir une station balnéaire très renommée en Jamaïque. La plongée s'y développe très fortement, mais elle ne donne pas encore l'impression d'une industrie. C'est ce qui plaira aux visiteurs en quête d'eaux tranquilles et poissonneuses.

1

1) Le poisson-cochon (Lachnolaimus maximus) *rougit quand il se sent menacé ou en cas d'excitation.*

2) Le récif de Montego Bay offre une grande richesse d'invertébrés, notamment des spongiaires.

3) En gros plan, la tête et le groin du poisson-cochon.

4) Assez timide, Lachnolaimus maximus *n'est pas une proie facile pour le photogaphe.*

MONTEGO BAY :
Les bouffonneries du poisson-cochon

NIVEAU DE PLONGÉE	★★
QUALITÉ DE LA PLONGÉE	★★
ASPECT TOURISTIQUE	★★★

Dans de magnifiques jardins de corail bordant des plages de rêve, les plongeurs rencontrent souvent les poissons-cochons aux trois longues épines dorsales très caractéristiques. Des compagnons de plongée peu farouches et curieux...

Renseignements pratiques

La Jamaïque est la troisième des îles Caraïbes par sa superficie. Paradis botanique à la végétation dense, c'est un pays à la nature généreuse dominée par une importante forêt primaire. La côte nord est un paradis pour les vacances en raison de ses immenses plages. Une barrière corallienne continue s'étend sur plus de 100 km entre Montego Bay et Ocho Rios. Montego Bay est un des hauts lieux des sports marins et de la plongée.
Plusieurs centres de plongée professionnels proposent leurs services à Montego Bay. Les plus importants sont Poseidon Nemrod Divers qui travaille avec le Chalet Caribe Hôtel à 10 km à l'ouest de la ville et, Seaworld Resorts, situé à cinq minutes de l'aéroport, affilié à l'hôtel

Cariblue Beach. Vous pouvez aussi choisir Caribbean Amusement Company, à l'hôtel Trelawny Beach. Il est situé à Falmouth, à mi-chemin entre Montego Bay et Ocho Rios.

Particularités

On recense plusieurs dizaines de lieux de plongée dans les eaux proches de Montego Bay. Dans de nombreux endroits, il est possible de plonger depuis la plage, le récif commençant à une vingtaine de mètres seulement de la côte. Il suffit souvent de s'éloigner d'un peu plus de 100 m pour découvrir des tombants intéressants, percés de grottes de corail. Les paysages sous-marins sont magnifiques, avec un riche peuplement d'éponges et de gorgones nous donnant l'impression de pénétrer dans un jardin extraordinaire. La plupart des plongées sont effectuées en bateau de manière à sortir sur l'extérieur du récif, encore plus riche.
Nous avons rencontré de très nombreux poissons-cochons *(Lachnolaimus maximus)* dans ces eaux. Appelés localement de leur nom anglais *hogfish*, ces labridés se reconnaissent à leurs trois longues épines dorsales qu'ils dressent en cas d'excitation. Mesurant en moyenne une quarantaine de centimètres de longueur, ces poissons se rencontrent dans des fonds inférieurs à 25 m. Généralement solitaires, ils peuvent présenter des colorations assez variables allant du blanc nacré au brun rougeâtre. Quand il a peur ou veut montrer sa mauvaise humeur, le poisson-cochon vire au rouge assez vif. Il se nourrit d'animalcules qu'il croque du bout des lèvres en fouillant dans le sable. En vieillissant, les adultes développent un museau proéminent en forme de groin, ce qui vaut à cette espèce son appellation de poisson-cochon.

Notre avis

La plongée à la Jamaïque est une activité assez nouvelle. la plupart des récifs sont encore inexplorés, ce qui en explique la richesse. Ne manquez pas de visiter le Rockland Bird Sanctuary à quelques kilomètres à l'ouest de Montego Bay. On y recense plus de 250 espèces d'oiseaux, dont certains, très familiers, viennent vous manger dans la main. Inoubliable !

2

3

4

1

1) Par moins de 10 m de profondeur, le soleil pénètre généreusement dans l'eau, créant une ambiance très lumineuse.

2) Gare au corail de feu (Millepora alcicornis). *Le moindre contact provoque une sensation de brûlure intense.*

3) Le corail corne de cerf (Acropora cervicornis) *est l'espèce qui croît le plus vite. Mais il est aussi très fragile.*

4) Les fonds de la région d'Ocho Rios sont très propices aux baptêmes de plongée, dans un bel environnement d'Acropora.

PARADISE REEF :
Le lagon du sourire

NIVEAU DE PLONGÉE	★
QUALITÉ DE LA PLONGÉE	★★
ASPECT TOURISTIQUE	★★★

Dans des eaux peu profondes d'une transparence de cristal, des formations coralliennes en forme de cornes d'élan sont disséminées sur un fond de sable. L'occasion d'initier les néophytes aux joies de la plongée...

Renseignements pratiques

Pour les plongeurs européens, il est nécessaire de transiter par les États-Unis avant de rejoindre Kingston, la capitale de la Jamaïque. Il existe aussi des liaisons aériennes avec les principales îles des Caraïbes. État indépendant des Grandes Antilles, la Jamaïque mesure 240 km de long sur 85 km de large. Elle présente un relief montagneux avec des paysages très spectaculaires et une végétation luxuriante.
Située au sud de Cuba, la Jamaïque bénéficie de conditions climatiques très favorables et d'eaux magnifiques. La température moyenne de l'air et de la mer se situe autour de 25°C. Il faut éviter de préférence la période des pluies entre juin et décembre, les ondées très violentes troublent le récif. Les risques de cyclones

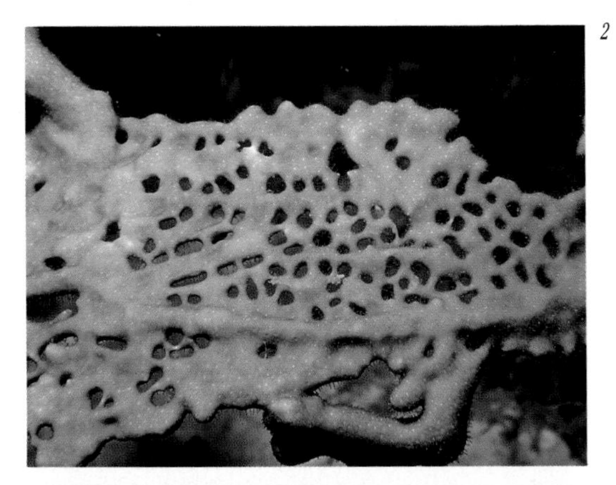

2

3

sont assez importants en cette saison. Seconde ressource de la Jamaïque après l'exploitation de la bauxite, le tourisme est en pleine expansion. La plongée n'est pas encore très renommée, mais de nombreux centres se développent à proximité ou à l'intérieur des complexes hôteliers. Fantasea Divers se trouve au Boscobel Beach. C'est un des plus importants de Ocho Rios. Vous pouvez aussi plonger avec Sea and Dive Jamaica, un des plus anciens clubs du pays.

Particularités

Tous les sites de plongée voisins de Ocho Rios se trouvent à moins de 1 mille de la plage. La plupart sont très peu profonds, atteignant à peine 20 m dans leur partie extrême. Laughing Waters Lagoon (le lagon des eaux souriantes) est un endroit délicieux où les grosses têtes de corail s'éparpillent par moins de 10 m de profondeur. De nombreuses cornes d'élan (*Acropora palmata*) donnent un effet de relief très spectaculaire. Il est fréquent de rencontrer des raies-pastenagues sur le fond sableux. Les dollars de sable abondent également. C'est un endroit très propice pour les baptêmes de plongée ou l'initiation des enfants aux activités subaquatiques. Vous pouvez plonger également à Paradise Reef, célèbre pour héberger une des plus grosses murènes vertes des Caraïbes. Les amateurs de plongée plus profonde s'immergeront sur Devil's Reef (le récif du Diable), où un long plateau glisse doucement de 20 m jusqu'à 60 m de profondeur. C'est le lieu de rencontre des requins, thons, carangues, raies-aigles et autres poissons pélagiques. The Mountain est un des lieux les plus fréquentés par les plongeurs locaux. Cet énorme piton corallien se dresse par 18 m de fond, décoré comme un jardin d'éponges multicolores et de gorgones.

Notre avis

La région d'Ocho Rios se caractérise par ses sites de plongée très aisément accessibles et assez variés. Elle n'est pas la plus réputée de la Jamaïque, mais gagne à être connue en raison de son paysage sauvage recelant de jolies montagnes et des cascades spectaculaires. Ne manquez pas Dunn's River Fall, une succession de cascades que l'on descend à pied jusqu'à une charmante plage. Une des excursions typiques de l'endroit.

4

1

1) Contrairement à l'océan Indien où ils vivent en bancs importants, les sergents-majors sont plutôt solitaires dans les eaux de San Juan.

2) L'exploration du récif permet la rencontre de belles formations de coraux et de spongiaires, ici Pseudopterogorgia sp.

3) La livrée rayée du sergent-major (Abudefduf saxatilis) est facile à repérer parmi les coraux.

SAN JUAN :

L'éden aux sergents-majors

NIVEAU DE PLONGÉE	★★
QUALITÉ DE LA PLONGÉE	★★★
ASPECT TOURISTIQUE	★★★

Dans des eaux délicieuses pouvant accueillir des plongeurs de tous niveaux, un paradis corallien d'une rare richesse s'étend à l'infini. Nous y avons rencontré des sergents-majors en patrouille, incongrus dans leur uniforme de bagnard...

Renseignements pratiques

Magnifique île des Grandes Antilles, Porto Rico se caractérise par sa forme rectangulaire. Située à l'est de la république Dominicaine, Porto Rico a été découverte en 1493 par Christophe Colomb qui l'a baptisée San Juan Bautista. Le nom de Porto Rico est apparu en 1508, il désigne alors une baie de l'île. Espagnole jusqu'en 1897, Porto Rico jouit pendant un an d'une indépendance relative avant d'être cédée aux Américains. Depuis 1952, la constitution de Porto Rico caractérise l'île comme un «État libre associé» aux États-Unis.
Un paysage tropical vallonné caractérise Porto Rico dont l'économie est surtout agricole. D'importantes cultures de canne à sucre sont entreprises dans les plaines côtières. La chaîne

montagneuse appelée Cordillère centrale est couverte d'une végétation abondante et de cultures de bananiers.
San Juan, la capitale, est située en bord de mer au nord de l'île. C'est là que se regroupent les principaux clubs de plongée. Caribe Aquatic Adventures, situé à l'hôtel Hilton, propose quatre sorties quotidiennes avec des bateaux contenant au maximum 10 plongeurs. Caribbean School of Aquatic est situé à l'hôtel La Concha. Il dispose de 3 bateaux.

Particularités

La plongée organisée a débuté il y a moins de dix ans sur Porto Rico. Cela garantit la qualité des sites pour la plupart encore assez peu explorés. Il est possible de s'initier depuis le Caribe Hilton, le récif commençant à quelques brasses de la plage. Le récif intérieur, complètement fermé par une barrière continue, est une des plongées les plus accessibles aux débutants. Les poissons, très nombreux, sont très familiers. Il est vrai qu'ils ont pris l'habitude d'être nourris à la main.
Les plongées les plus excitantes sont effectuées sur le récif extérieur où l'on rencontre un grand nombre de grottes sous-marines et de canyons. La profondeur moyenne des plongées est de 25 m. L'eau est d'une clarté exceptionnelle, surtout pendant la période sèche, de février à mai.
Nous avons été émerveillés par la richesse des récifs très caractéristiques des Caraïbes, avec leurs immenses gorgones plumeuses *(Pseudopterogorgia)* qui prennent des formes buissonnantes généreuses. On rencontre souvent dans ces eaux l'amusant poisson sergent-major *(Abudefduf saxatilis)*. Il semble patrouiller dans sa livrée rayée, se montrant à la fois amical et curieux. C'est la même espèce que celle rencontrée en bancs importants dans l'océan Indien. Mais ici, curieusement, ce poisson est généralement solitaire.

Notre avis

C'est une excellente plongée-détente dans des conditions très agréables, avec surtout l'impression de découvrir des endroits encore vierges. Les récifs peu profonds sont souvent abîmés par les cyclones, fréquents dans cette région. Mais si vous descendez au-delà de 20 m de profondeur, vous entrez dans un véritable paradis corallien dont on ne se lasse pas.

2

3

1

1) Le récif de Fajardo est propice à la rencontre avec les raies-aigles. Ces magnifiques poissons semblent voler avec grâce.

2) L'île aux singes, Cayo Santiago, est l'occasion de rencontrer de nombreux macaques rhésus.

3) Se découpant dans le contre-jour, une grande raie-aigle (Aetobatis narinari) *s'éloigne majestueusement.*

FAJARDO :
L'envol des raies-aigles

NIVEAU DE PLONGÉE	★★★
QUALITÉ DE LA PLONGÉE	★★★
ASPECT TOURISTIQUE	★★

Non loin des îles Palominos, les fonds sableux et les courants sont très propices au passage de la grande faune pélagique. Les raies-aigles à la robe tachetée s'envolent majestueusement laissant les plongeurs ébahis par leur élégance...

Renseignements pratiques

Fajardo est une petite cité située sur la côte est de Porto Rico. Elle se caractérise par de très belles plages encore peu fréquentées. Des récifs peu profonds se prêtent bien à la découverte en apnée par les débutants. Les plongeurs confirmés prennent le bateau le matin en direction des îles Palominos ou Icacos à moins de 10 milles au large. Couvertes de mangroves et de cocotiers, ces minuscules îles inhabitées sont entourées de magnifiques récifs. L'eau est d'une clarté extraordinaire, pouvant dépasser 40 m.
À San Juan, Mundo Submarino est un des centres de plongée le mieux organisé pour des sorties sur la côte est. Il possède un bateau pouvant embarquer trente-cinq passagers. Sur place, vous pouvez vous adresser à Carlos Dive Shop,

2

sur la marina de Puerto Chino, près de Fajardo. Carlos Florez, le maître des lieux, plonge depuis plus de trente ans dans la région.
La plongée n'est pas encore très développée ici, mais le bouche à oreille aidant, Porto Rico pourrait bien devenir une des grandes destinations touristiques de ces prochaines années.

Particularités

L'abondance des cours d'eau qui se jettent dans la mer en de multiples endroits attire un nombre important de poissons, dont de nombreuses espèces pélagiques qu'il est rare d'observer aussi près des côtes. Mais en raison des pluies abondantes dans cette région, le proche environnement des plages est souvent assez trouble. Au large, ce problème est résolu et nous avons pu profiter de la présence des raies-aigles *(Aetobatis narinari)* lors de chaque plongée. Ces grands poissons cartilagineux peuvent atteindre 2 m d'envergure. Ils ont une robe sombre tachetée de points blancs sur le dessus et une partie inférieure blanche. La forme de la tête est caractéristique avec un museau allongé, assez pointu en son extrémité. La très longue queue effilée comme un fouet, porte une à cinq épines venimeuses à sa base. On observe le plus souvent des individus solitaires ou en couple. Le regroupement en bancs de dix à vingt raies est assez exceptionnel. Nous avons toutefois eu la chance de l'observer et c'est un spectacle magnifique, ces poissons gracieux semblant planer dans une totale apesanteur. Malheureusement, les raies-aigles sont d'un tempérament farouche et il est très difficile de les approcher à moins de 2 ou 3 m de distance.

Notre avis

L'approche de grands poissons aussi élégants que les raies-aigles laisse une impression saisissante. Les plus chanceux pourront également apercevoir en période hivernale le passage de baleines. Ne manquez pas de faire une petite croisière d'une journée vers Cayo Santiago, l'île aux singes. Ce lieu retiré est une réserve abritant 800 macaques rhésus. Ils sont étudiés depuis de nombreuses années par les scientifiques et se montrent très familiers.

3

1

1) Les extraordinaires éponges perforantes (Siphonodictyon coralliphagum) créent de magnifiques contrastes de couleurs.

2) Le récif de Culebra se pare de formations multicolores aux formes très complexes.

3) Les poissons-grogneurs ne sont pas rares dans ce récif. Ici, un vieux solitaire accompagne une gorgone (Gorgonia ventalina).

CULEBRA : Le récif magique

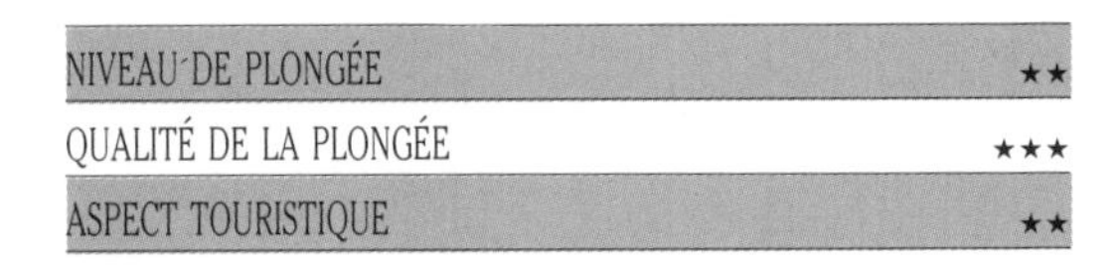

NIVEAU DE PLONGÉE	★★
QUALITÉ DE LA PLONGÉE	★★★
ASPECT TOURISTIQUE	★★

Dans une ambiance d'île déserte et un environnement protégé, de merveilleuses formations coralliennes très colorées attendent les plongeurs. La découverte d'un monde enchanteur dans des eaux d'une pureté de cristal...

Renseignements pratiques

Culebra est une petite île située à 20 milles au nord-est de Porto Rico, juste à mi-chemin de Saint Thomas dans les îles Vierges américaines. Encore peu connue des étrangers, elle est reliée régulièrement à San Juan et Fajardo par un service de ferries. Il est aussi possible de louer un petit avion. Son environnement sauvage et ses plages superbes lui valent aujourd'hui un succès touristique croissant.
La plongée est l'activité principale de l'île avec le « farniente ». Le Culebra Underwater Association Dive Shop offre un service complet pour 20 plongeurs maximum. Attention, il est fermé le mercredi. Vous trouverez des fonds similaires à l'île Vieques, le plus important des satellites de Porto Rico. Appartenant à la marine natio-

nale, elle est souvent utilisée comme lieu de bivouac par la base navale américaine de Roosevelt Roads. Les bateaux privés sont toutefois autorisés à s'ancrer sur le côté ouest de l'île. Il est même possible d'accoster et de profiter de la solitude de l'endroit. Le camping est autorisé pour une nuit.
Les amateurs de pêche au gros pourront satisfaire pleinement leur passion dans les eaux de Porto Rico où plus de trente records du monde ont déjà été homologués.

Particularités

Les sites de plongée sont très nombreux autour de Culebra. Un des plus fameux est le Flamenco Wall, un tombant de coraux crevassés, qui coule jusqu'à un grand lit de sable par 30 m de fond. Les formations sont d'une rare richesse avec des associations de nombreuses espèces de coraux et de madrépores, souvent rongés par les éponges calcaires, consommatrices de corail *(Siphonodictyon coralliphagum)*. Les tubes de couleur jaune vif de cette éponge percent le corail (souvent des *Porites)*, lui faisant subir de graves dommages dont on ne se rend pas compte, vu de l'extérieur. Mais après quelques années elle a complètement détruit son hôte par l'intérieur.

3

2

L'ensemble des récifs qui bordent l'île est d'une spectaculaire beauté. La partie nord-ouest, nommée Impact Area, est exceptionnelle pour la santé de ses coraux. C'est un lieu fourmillant de vie où l'on rencontre beaucoup de bancs de petits poissons, notamment des demoiselles. La profondeur moyenne de 12 à 15 m, en fait un paradis pour les photographes qui peuvent profiter de la lumière ambiante. Tant que l'on s'éloigne peu de la côte, les eaux restent très calmes et pratiquement sans courant. En revanche, les plongées autour des îlots du large sont souvent plus mouvementées. Mais c'est l'occasion de rencontrer de grandes concentrations de carangues.

Notre avis

Culebra est un endroit magnifique qui plaira à tous les amoureux de la nature sauvage et tranquille. les vingt trois petites îles alentour ainsi que de nombreuses parties de Culebra sont considérées depuis 1909 comme un sanctuaire national protégeant la faune. C'est ce qui explique le grand nombre d'oiseaux marins, notamment des sternes, que l'on peut observer ici.

1

*1) Le poisson-écureuil (*Holocentrus adscensionis*) est un animal timide qui apprécie les endroits ombragés du récif.*

*2) Souvent confondus avec les poissons-écureuils, les soldats (*Myripristis jacobus*) virevoltent dans tous les sens.*

3) Holocentrus adscensionis *présente une robe d'un rouge éclatant qui contraste avec le corail.*

*4) Les poissons-soldats à gros yeux (*Myripristis jacobus*) se rencontrent à l'entrée des grottes et diverses cavités.*

SAINTE-CROIX :

Des écureuils en voltige

NIVEAU DE PLONGÉE	★★
QUALITÉ DE LA PLONGÉE	★★
ASPECT TOURISTIQUE	★★

Dans les eaux très fréquentées de Sainte-Croix, se réunissent d'importantes concentrations de poissons-écureuils à la robe de rubis. Curieux et peu craintifs, ils observent le plongeur de leurs gros yeux étonnés...

Renseignements pratiques

Avec ses 37 km de long, Sainte-Croix est la plus grande des îles Vierges américaines. En 1917, pour des raisons stratégiques et politiques, les États-Unis achètent au Danemark, les îles de Sainte-Croix, Saint Thomas et Saint John pour la somme de 25 millions de dollars. Cette acquisition a pour but la défense du canal de Panama. Aujourd'hui, les îles Vierges américaines sont considérées comme un territoire associé. Leurs habitants possèdent la nationalité américaine, mais ne participent pas aux élections de la métropole.
Sainte-Croix est une délicieuse île tropicale où foisonnent les centres de plongée. Les plus importants sont Peter Hughes Diving, Caribbean Sea Adventures, Cruzan Divers Inc., Diver

Experience, Sea Shadows et Virgin Island Divers. Tous pratiquent bien sûr la plongée «à l'américaine», avec des sorties à deux bouteilles. Ces centres de plongée sont tous situés à proximité des villes les plus importantes de l'île : Christiansted et Frederiksted.

Particularités

La plupart des sites de plongée intéressants se trouvent au nord de l'île. Ils sont tous situés le long d'une grande barrière de corail qui tombe à pic jusqu'à plus de 600 m de profondeur. Beaucoup commencent à 150 m seulement des plages. L'endroit le plus accessible aux débutants est Frederiksted Pier. Autour des piliers de la jetée se trouvent de superbes éponges encroûtantes. En observant attentivement les nombreuses concrétions, vous rencontrerez à coup sûr des hippocampes. Toutes les plongées du grand récif : North Star Wall, Cane Bay Garden, River Canyon etc., se caractérisent par une grande abondance de poissons-écureuils et de poissons-soldats à gros yeux. Ces poissons, à la belle livrée rouge ou orangée, vivent souvent en bancs importants regroupant différentes espèces. Ils doivent leur nom à la couleur de leur robe qui rappelle celle des écureuils roux d'Amérique du Nord.

Les poissons-écureuils apprécient les endroits ombragés, s'abritant à l'entrée des grottes ou sous les surplombs rocheux. L'espèce la plus commune est *Holocentrus adscensionis*. Ce poisson de 20 à 30 cm de longueur se caractérise par une rayure blanche parallèle à la lèvre supérieure. Ce détail permet de le distinguer de *Holocentrus rufus* dont tout le dessous de la bouche est blanc. Ce poisson présente aussi la particularité de porter une longue épine anale. Souvent confondus avec les poissons-écureuils, les poissons-soldats à gros yeux appartiennent au genre *Myripristis*. Leur robe est rouge vif ou argentée avec des reflets rouges. Ils se distinguent facilement au trait vertical noir qui barre leurs ouïes.

2

Notre avis

Les plongées de Sainte-Croix sont très caractéristiques des Caraïbes, avec de grands tombants peuplés de gorgones et de grandes éponges. Mais en raison de la profondeur importante des fonds, il est possible d'observer, ici et là, le passage furtif de grands requins de récifs et même de requins-marteaux. En raison de la grande popularité dont jouissent les îles Vierges américaines, mieux vaut éviter les périodes de grandes vacances vraiment trop surchargées.

3

4

1) Avec ses gros yeux globuleux et son bec d'oiseau, le poisson-ballon (Diodon hystrix) est une très curieuse créature.

2) Une fois gonflé, le diodon présente un corps couvert de longues épines acérées.

3) Les eaux de Saint Thomas accueillent les bateaux de plaisance pour des mouillages féeriques.

4) C'est en avalant d'importantes quantités d'eau que le diodon enfle comme un ballon. Il devient une proie difficile pour les prédateurs.

SAINT THOMAS :

Les champions du poisson-ballon

NIVEAU DE PLONGÉE	★★
QUALITÉ DE LA PLONGÉE	★★
ASPECT TOURISTIQUE	★★★

Dans des eaux très visitées par les plongeurs, les diodons se hérissent comme des porcs-épics dès qu'on les dérange un peu. L'occasion de découvrir un des comportements les plus étonnants du monde des poissons...

Renseignements pratiques

Saint Thomas est l'île principale des US Virgin. On y accède par des vols quotidiens depuis New York ou Miami. Il existe aussi des liaisons fréquentes avec San Juan de Porto Rico. Des ferry-boats assurent depuis Charlotte Amalie, la capitale, la liaison entre les différentes îles Vierges aussi bien américaines que britanniques. Si vous aimez les sensations, vous pouvez prendre un hydravion qui effectue des vols réguliers entre les principales îles Vierges. Les formalités d'entrée à Saint Thomas sont les mêmes que pour les États-Unis. Le dollar américain est la monnaie officielle. Anglais et espagnol sont parlés partout. Seule originalité : ici la conduite est à gauche !

Saint Thomas est très prisée pour ses excellents

restaurants et ses boutiques aux prix intéressants. Nous ne sommes pas dans un port franc, mais la plupart des produits sont très faiblement taxés. Beaucoup d'hôtels proposent des forfaits, logement et plongée, à des prix intéressants. Il s'agit principalement de Bolongo Bay Beach et Tennis Club, Carib Beach Hotel, Frenchman's Reef Beach Resort, Ramada Yacht Haven Hotel, Sapphire Beach Resort, Wyndham Virgin Grand Beach Hotel, etc. Il est également possible de participer à des croisières-plongées sur des voiliers bien équipés. V.I. Scuba Sail Charters est une des sociétés les plus renommées dans cette spécialité.

Particularités

La plongée autour de Saint Thomas se développe énormément avec surtout une clientèle américaine. Les sites de plongée sont nombreux et variés. Nous avons beaucoup apprécié Flat Cay, un petit récif riche en corail corne-d'élan *(Acropora palmata)* qui ne dépasse pas 12 m de profondeur. Mais c'est autour des îlots au large de Saint Thomas que nous avons apprécié les meilleurs endroits.
Andre's Reef, à Little Buck Island, ou Capella Island, toute proche, sont le royaume des poissons-ballons. Connus aussi sous l'appellation de poissons-porcs-épics, ces étranges créatures nagent silencieusement entre les coraux, évitant de se faire remarquer. On les reconnaît facilement à leurs gros yeux globuleux et leur corps couvert d'épines. Dès qu'il est dérangé et ne peut plus fuir, le poisson-ballon absorbe de grosses quantités d'eau qui font gonfler son corps tout en hérissant ses épines. L'animal devient alors énorme et absolument inconsommable pour un prédateur. Ces poissons ne sont pas spécifiques aux Caraïbes. On rencontre les mêmes espèces dans toutes les mers tropicales ainsi que dans les parties chaudes de la Méditerranée. Mangeurs de crabes, bernard-l'hermite et langoustes, ces poissons possèdent un bec très tranchant, mais ils ne montrent pas la moindre agressivité. Deux espèces sont communes à Saint Thomas : *Diodon hystrix* et *Diodon holocanthus.* Ce dernier se distingue par les taches marron foncé qui barrent ses yeux et la quasi absence de ponctuations sur ses nageoires.

4

3

Notre avis

Nous avons beaucoup apprécié la douceur de vivre de Saint Thomas, qui sait associer le confort à l'américaine avec la nonchalance typique des Caraïbes. C'est un endroit parfait pour des vacances en toute quiétude et la plongée en famille. Les amoureux de la nature apprécieront la familiarité des iguanes à Limetree Beach (la plage des citronniers). Ils acceptent de venir manger un fruit directement dans votre main !

1

1) Impressionnante par sa position retournée et ses concrétions, l'épave du Rhône est une des plus célèbres des Caraïbes.

2) Les îles Vierges britanniques sont idéales pour la pratique de la voile.

3) L'épave du Rhône est souvent fréquentée par d'imposants barracudas.

4) Sous la lumière d'un phare puissant, les belles couleurs des concrétions de spongiaires se dévoilent dans tout leur éclat.

5) L'épave est coupée en deux, la partie arrière repose sur un banc de sable par 25 m de fond.

SALT ISLAND :

Le Rhône, sanctuaire sous la mer

NIVEAU DE PLONGÉE	★★
QUALITÉ DE LA PLONGÉE	★★★
ASPECT TOURISTIQUE	★★

Déclarée monument national depuis quelques années, l'épave du Rhône est une des plus célèbres de toutes les Caraïbes. C'est à la fois un musée et un sanctuaire marin, testament d'une tragédie du XIXe siècle. Une plongée chargée d'émotion...

Renseignements pratiques

Découvertes par Christophe Colomb, les îles Vierges doivent leur nom à leur forme en chapelet régulier qui rappelle la procession des onze mille vierges de la légende...Trois îles sont américaines (Sainte-Croix, Saint Thomas et Saint John), toutes les autres sont colonies britanniques. Cet archipel peu habité trouve l'essentiel de ses ressources dans le tourisme. La plongée y est très développée, de nombreux bateaux de croisière reliant les diverses petites îles inhabitées aux plages paradisiaques.
Certaines sociétés spécialisées dans la plongée louent de magnifiques bateaux, à Tortola, l'île principale. C'est le cas de Underwater Safaris, Baskin in the Sun, Aquanaut Cruises, Trimarine, etc. Vous pouvez aussi plonger à partir de bases

fixées à terre comme Blue Water Divers, Dive BVI, Island Divers, etc. Si vous appréciez le service à la française, vous pouvez profiter des magnifiques bateaux de Jet Sea et partir à l'aventure sur un catamaran Privilège depuis Saint-Martin.

3

Notre avis

4

Le *Rhône* est une épave échouée à l'ouest de Salt Island, dans la partie sud du Sir Francis Drake Channel. Ce bateau échoué depuis plus d'un siècle repose dans des eaux calmes et limpides par une vingtaine de mètres de fond. Le 29 octobre 1867, le RMS *Rhône*, puissant vapeur capable de transporter 253 passagers en première classe, 30 en deuxième classe et 30 en troisième classe, est pris dans un terrible ouragan. Il dérive vers les récifs de Salt Island et heurte brutalement la barrière de corail. La chambre des machines explose sous le choc, brisant le bateau en deux. Pas le moindre canot de sauvetage sera mis à l'eau, il n'y aura aucun survivant. Ironie du sort, un fond sableux se trouvait à moins de 50 m de part et d'autre du lieu du naufrage.

2

Aujourd'hui, le *Rhône* est une des épaves les plus visitées dans toutes les Antilles. Elle doit son succès aux très nombreux poissons qui l'habitent. Au fil des années, l'épave s'est détériorée. Il ne subsiste qu'une partie des infrastructures. S'il ne restait pas l'hélice et le gouvernail intacts, on pourrait croire par endroit à une ruine antique.

5

Notre avis

Le *Rhône* n'est pas, à proprement parlé, une belle épave, mais elle dégage une ambiance fantomatique et une impression très étrange. On devine sous ses vestiges le drame qui s'est déroulé dans cet endroit et c'est ce qui fait la force de cette plongée.

1) Les grottes de Virgin Gorda créent des effets magnifiques d'ombre et de lumière.

2) La clarté exceptionnelle des eaux et la faible profondeur des fonds sont très propices à la pratique de l'apnée.

3) Les éboulis rocheux de Virgin Gorda ressemblent par bien des côtés aux Seychelles.

4) Entre ciel et mer, une plongeuse se laisse aller à la découverte des fonds rocheux.

VIRGIN GORDA:

Les grottes de lumière

NIVEAU DE PLONGÉE	★★
QUALITÉ DE LA PLONGÉE	★★★
ASPECT TOURISTIQUE	★★

Dans un environnement rocheux qui rappelle les Seychelles, des grottes sous-marines peu profondes laissent pénétrer les rayons du soleil, créant une atmosphère féerique. Une plongée inoubliable qu'il est possible de réaliser en apnée...

Renseignements pratiques

Virgin Gorda est la plus à l'est des îles Vierges britanniques. Elle est reliée à Tortola, la capitale, par un service régulier de ferries. Virgin Gorda se divise en deux parties distinctes. La plus au sud est caractérisée par ses énormes éboulis de granit, formations rocheuses uniques dans les Caraïbes. Le paysage ressemble beaucoup à celui de la très célèbre île de La Digue aux Seychelles. La partie nord de Virgin Gorda est plus montagneuse. Un millier d'habitants seulement peuplent cette petite île qui attire un nombre croissant de visiteurs. The Baths est l'endroit le plus réputé, labyrinthe d'éboulis rocheux où la mer s'engouffre lors des marées. Elle crée d'innombrables canyons et des piscines naturelles d'eau limpide. En s'aventurant un peu plus

loin, on découvre les prémices de grottes creusées par l'érosion. C'est l'occasion d'explorations subaquatiques d'une impressionnante beauté. Il y a seize magnifiques plages de sable blanc à Virgin Gorda.
Si vous disposez d'un peu de temps, ne manquez pas l'excursion au Gorda Peak, point culminant de l'île (490 m). Situé dans un parc national à la végétation généreuse, il vous offre une magnifique vue panoramique sur le détroit de Sir Francis Drake. Par temps clair, on peut même apercevoir Saint-Martin.

Notre avis

Il est indispensable de disposer d'un bateau avec un bon skipper et un sondeur performant. C'est le seul moyen pour découvrir les innombrables trésors sous marins que recèlent ces îles encore peu explorées par les plongeurs.
Les îles Vierges britanniques sont mieux connues des plaisanciers que des plongeurs. Il est vrai qu'en raison de leur relief très découpé, elles offrent des abris formidables, dans des décors de rêve, pour les bateaux de plaisance.

3

4

Particularités

La plongée-exploration dans les grottes de The Baths est plus propice à l'apnée qu'à l'immersion en scaphandre car les eaux sont peu profondes. Nous avons choisi d'utiliser des scooters sous-marins pour faciliter notre progression et nous permettre de profiter pleinement de la sensation d'apesanteur. L'eau est d'un pur cristal et lorsque les rayons du soleil s'insinuent dans l'ouverture béante de la grotte, on se croirait dans une cathédrale.
Deux centres de plongée importants peuvent vous faire découvrir les récifs alentour et notamment Black Bluff, réputé pour ses formations coralliennes en forme de champignons et ses grottes immergées. Dive BVI Ltd est situé dans le port de la baie de Saint Thomas sur la côte sud-ouest. Il offre deux plongées matinales consécutives à 12 plongeurs maximum. Kilbrides Underwater Tours propose ses services aux hôtes de Biras Creek Resort. Ce centre de plongée s'est spécialisé dans les épaves.
Les amateurs pourront s'aventurer tout au nord, vers l'île de Anegada. On y a recensé plus de 300 bateaux immergés. Le récif Horseshoe qui l'entoure est considéré comme la troisième barrière corallienne de l'ouest.

ÎLES DU VENT

ÎLES DU VENT

Chapelet de petites perles tropicales aux noms évocateurs de vacances enchanteresses, les îles du Vent s'éparpillent en arc de cercle. Elles constituent une barrière légère se terminant à proximité des côtes du Venezuela, comme si elles voulaient fermer la mer des Caraïbes. Contrairement aux autres régions voisines très américanisées, les îles du Vent semblent surtout prisées par les Européens. Il est vrai que beaucoup d'entre elles sont territoire anglais ou français. Une des caractéristiques remarquables de ces petites possessions d'outre-mer est d'offrir un dépaysement total, tant sur le plan terrestre que subaquatique. Les paysages nous ravissent par leur foisonnement de fleurs et les fonds marins fourmillent d'une vie trépidante et colorée. Ce sont des destinations de vacances idéales pour les familles associant plongeurs et non-plongeurs. Il y a toujours une excursion à faire, un endroit à découvrir, sans parler de l'indescriptible cuisine créole aux saveurs d'une richesse exceptionnelle. Par leur situation géographique assez exposée à la fureur des vents du large, ces îles gagnent à être visitées en automne et en hiver. Il faut éviter la période estivale (juin à août), les risques de cyclones n'étant pas négligeables. Côté plongée, c'est un des endroits des Caraïbes les plus riches en épaves. On raconte dans toutes les Antilles de terribles récits de naufrages plus ou moins légendaires. En les découvrant, grâce à la liberté du scaphandre autonome, vous aurez l'impression de revivre de grands moments d'Histoire...

Page précédente : les îles du Vent sont très accueillantes sur le plan touristique. Elles offrent aussi de belles plongées dans des eaux claires, riches en invertébrés dont des éponges perforantes.

Page de droite : se découpant dans le bleu des eaux, l'épave fantomatique du chalutier de Tintamarre est l'occasion d'une plongée facile et impressionnante.

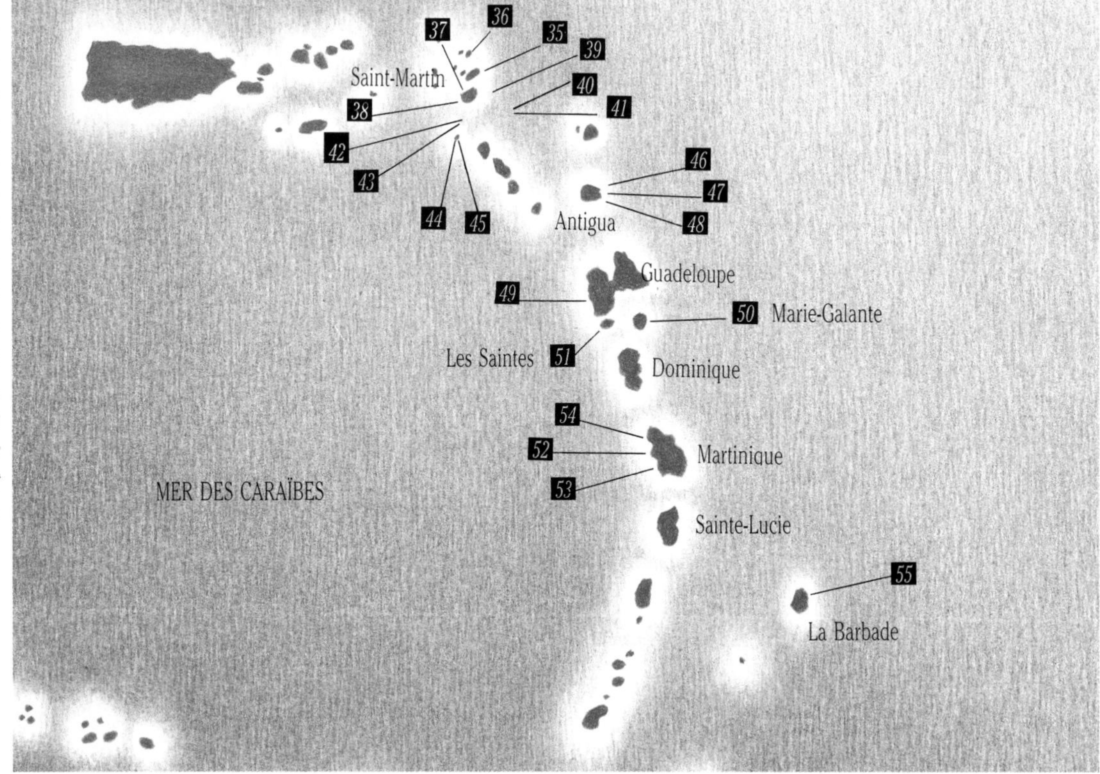

- 35 Sandy Island
- 36 Prickly Pear
- 37 Spanish Rock
- 38 Grand Case
- 39 Tintamarre
- 40 41 Gustavia
- 42 Shark Shoal
- 43 Tent Reef
- 44 The Wall
- 45 Statia
- 46 Salt Tail Reef
- 47 Weymouth Reef
- 48 Cades Reef
- 49 Pigeon
- 50 Marie-Galante
- 51 Les Saintes
- 52 Blue Marine
- 53 Le Diamant
- 54 Saint-Pierre
- 55 Bell Buoy Reef

1

1) La très accueillante Sandy Island vue d'avion.

2) Bispira brunnea *dans sa forme violette, une espèce qui vit en colonies.*

3) Le panache éclatant de Bispira variegata.

4) Un ver diaphane dans un spongiaire : Anamobaea orstedii

SANDY ISLAND :

Des vers en panache

NIVEAU DE PLONGÉE	★
QUALITÉ DE LA PLONGÉE	★★★
ASPECT TOURISTIQUE	★★

Adorable îlot, Sandy Island est très fréquenté par les plongeurs. Les fonds, de faible profondeur, sont propices à la prolifération des invertébrés. C'est La Mecque des photographes passionnés par la macro.

Renseignements pratiques

Il n'y a pas la moindre infrastructure hôtelière sur Sandy Island. On y accède uniquement par bateau. Des excursions pour la journée sont prévues au départ d'Anguilla ou de Saint-Martin. L'idéal, bien sûr, est d'effectuer une croisière en bateau de manière à rester plusieurs jours sur le site et apprécier, notamment, les plongées de nuit. Ceux qui pratiquent l'apnée trouveront à Sandy Island l'occasion de s'adonner à leur sport favori. L'eau y est claire, chaude et les fonds dépassent rarement 15 m.

Les vedettes rapides équipées pour la plongée rejoignent Sandy Island en trois heures environ. À la voile, il faut compter une bonne journée. Évitez la période de juin à début septembre marquée par de fortes dépressions tropicales.

Particularités

L'eau claire qui peut permettre une visibilité de 30 m est un véritable régal. Il est rare que le courant soit suffisamment fort pour gêner les plongeurs. On peut s'immerger directement de la plage de sable blanc, mais les plongées plus sérieuses se font depuis le bateau sur la partie extérieure des récifs coralliens.
Nous avons surtout apprécié l'abondance des vers marins dans ces eaux. De nombreuses espèces de spirographes déploient leurs panaches aussi bien de nuit que de jour. Très sensibles, ces branchies se rétractent à la moindre alerte. Il suffit souvent d'un mouvement du courant pour que le panache disparaisse dans le tube.
Les spirographes appartiennent à l'ordre des sabellidés. Les tentacules servent à la fois à la capture des proies et à la respiration. Leur texture plumeuse leur permet de recueillir du plancton et des débris organiques. Le tube dans lequel le ver se protège est une sécrétion calcaire.
Beaucoup d'espèces disposent en plus d'un opercule qui obstrue le tube quand les branchies sont rétractées. Certains grands spirographes, comme *Sabellastarte magnifica* par exemple, peuvent présenter un tube de 20 cm de longueur. Le panache est alors très spectaculaire. D'autres comme les *Bispira brunnea* vivent en colonies regroupant une dizaine d'individus. D'une finesse de dentelle, le panache de *Anamobaea orstedii* se colore indifféremment de jaune ou d'orangé. Quant à *Notaulax occidentalis*, s'il est plus modeste sur le plan de la taille, il compte parmi les plus colorés avec un magnifique panache jaune d'or. Reconnaissable à sa couronne de branchies colorées alternativement de brun et de blanc, *Brachiomma nigromaculata* ne dépasse guère 3 cm de diamètre.

Notre avis

Il faut savoir découvrir la beauté, souvent extraordinaire, des formes les plus primitives de la vie marine. Plus faciles d'approche que les grands poissons et beaucoup plus répandues, elles peuvent vous réserver des surprises tout aussi palpitantes. C'est la nuit que ces êtres étonnants sont le plus en beauté.

2

3

4

1

1) *Difficile d'observer la sortie du bernard-l'hermite* (Pagurus beringanus) *avant la nuit.*

2) *Prickly Pear se prête à merveille à tous les sports nautiques.*

3) *Le curieux crabe-araignée :* Stenorhynchus seticornis.

4) *Magnifique et convoitée par les gourmands, la cigale de mer :* Scyllarides nodifer.

PRICKLY PEAR :

Les merveilles de la nuit

NIVEAU DE PLONGÉE	★★
QUALITÉ DE LA PLONGÉE	★★
ASPECT TOURISTIQUE	★

Prickly Pear est très peu fréquentée par les plongeurs. C'est dommage car le double récif est généreusement habité. Les plus belles plongées s'y font la nuit. C'est alors le royaume des crustacés aux formes et aux couleurs étranges...

Renseignements pratiques

Prickly Pear Cays est un ensemble de petites îles désertes dont la principale est un lieu de détente fort apprécié par les plaisanciers. Une petite guinguette y est ouverte tous les jours et sert des boissons fraîches .
C'est le rendez-vous des voiliers qui croisent dans les Antilles. La passe d'entrée est difficile car elle est parsemée d'écueils coralliens. Il est indispensable d'y pénétrer par mer calme et en plein jour. Le mouillage ne pose pas de problème à l'intérieur d'un lagon bien abrité. Il faut absolument un bateau pour accéder en ces lieux. Il est possible de louer un bateau à Saint-Barthélemy ou à Saint-Martin. Pas de club de plongée, bouteilles et compresseurs doivent être présents à bord. Pour l'occasion, nous disposions

d'un magnifique catamaran Privilège 14,70 loué par la société Jet Sea, spécialiste de la croisière-plongée. Ce type de bateau, avec son faible tirant d'eau et sa large plage arrière, permet une plongée très confortable et un accès aisé aux baies les plus reculées. Il est prévu pour 6 plongeurs.

2

Particularités

L'intérieur du lagon présente très peu d'intérêt pour la plongée. Les coraux sont en grande partie cassés lors des tempêtes. En revanche, c'est idéal pour un baptême ou pour initier des enfants. Avec une bonne annexe, on peut sortir sur l'extérieur du récif. Il est réputé pour héberger les plus gros poissons de la région, des tortues et des requins-nourrices. Les fonds de sable sont assez riches en poissons plats.
Nous avons été ravis par la plongée de nuit dans ces eaux calmes. Dès le crépuscule, bon nombre de crustacés partent en chasse. Il est alors facile de les saisir dans le faisceau de la lampe. Les crabes-araignées *(Stenorhynchus seticornis)* vivent le plus souvent dans les éponges ou à proximité d'anémones coloniales. Les délicates crevettes bicolores *(Stenopus hispidus)* vous menacent de leurs longues pinces, mais elles sont inoffensives. On les rencontre souvent à l'intérieur des éponges. Si vous écartez les bras venimeux des anémones, peut-être y découvrirez-vous des crevettes du genre *Periclimene*. Quasiment transparentes, elles demandent un œil exercé. Plus farouche et mimétique, la cigale de mer *(Scyllarides nodifer)* est un proche parent de la langouste.

3

Notre avis

C'est un peu la plongée aventure parce qu'il n'y a aucune infrastructure à proximité. Le principe de la croisière-plongée à bord d'un voilier est une expérience enrichissante, mais il est indispensable de constituer un groupe homogène. Le lagon de Prickly Pear est un endroit rêvé pour s'adonner aux joies des sports nautiques : planche à voile, ski nautique, jet ski et même loco plongeur pour survoler sans effort les récifs.

4

1

1) Les barracudas sont les prédateurs les plus fréquents dans les eaux de Saint-Martin.

2) Saint-Martin est une agréable île tropicale aux marinas bien abritées.

3) Plus effrayant que vraiment méchant, le barracuda (Sphyraena barracuda) *est fortement denté.*

4) Les plus gros spécimens croisent solitaires et suivent les plongeurs.

SPANISH ROCK :

Les fourberies du brochet de mer

NIVEAU DE PLONGÉE	★★
QUALITÉ DE LA PLONGÉE	★★
ASPECT TOURISTIQUE	★★

Curieuse île franco-hollandaise, Saint-Martin est le paradis du shopping. Côté plongée, quelques rochers au large permettent la rencontre assez impressionnante avec les barracudas, à la mauvaise réputation parfois justifiée...

Renseignements pratiques

Divisés en deux parties presque égales depuis 1648, les 87 km² de Saint-Martin sont devenus un haut lieu du tourisme aux Antilles. Les plus impressionnants bateaux de croisière font escale à Philipsburg, la capitale du côté hollandais. C'est un port franc où toutes les marchandises sont vendues détaxées. Bonnes affaires garanties. Saint-Martin est reliée directement à Paris trois fois par semaine par des vols d'Air France. Une liaison quotidienne est réalisée par Air Guadeloupe depuis Pointe-à-Pitre.
Avec la création permanente de nouvelles marinas, Saint-Martin voit aussi croître rapidement son infrastructure plongée. De nombreux clubs proposent des sorties régulières sur les récifs peu profonds ou les grands rochers plus au large.

2

3

4

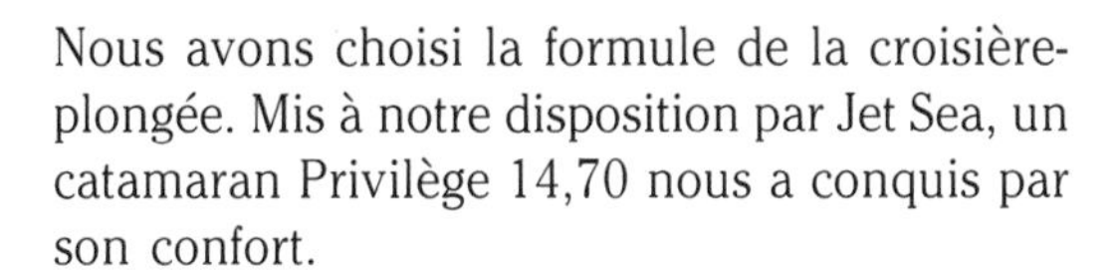

Nous avons choisi la formule de la croisière-plongée. Mis à notre disposition par Jet Sea, un catamaran Privilège 14,70 nous a conquis par son confort.

Particularités

Les grands classiques de la plongée autour de Saint-Martin sont surtout des rochers immergés. Spanish Rock est une formation rocheuse complexe à 10 m de profondeur avec de nombreux éboulis. Créole Rock permet une plongée à 7-8 m dans des eaux toujours claires et sans courant. Au nord, Les dauphins est un endroit réputé qui descend jusqu'à 30 m de profondeur avec une crevasse traversant un jardin de corail. Au cours de toutes nos plongées, nous avons toujours été accompagnés par des barracudas de toutes tailles *(Sphyraena barracuda)*. Les plus gros sont toujours solitaires. Ils peuvent atteindre 1,50 m de longueur. D'un naturel curieux, mais un peu fourbe, ils suivent systématiquement le plongeur, lui laissant ignorer leur présence. De temps à autre, ils jouent les méchants, fonçant brutalement en claquant des dents. Les premières rencontres sont toujours assez dérangeantes. On ne parvient jamais à savoir si le poisson est franchement agressif ou s'il fait semblant. Les accidents avec les barracudas sont exceptionnels. Mais nous avons eu un jour un morceau de palme sectionné d'un coup de dent. Alors, prudence !

Les jeunes barracudas se rassemblent souvent en bancs d'individus de même taille. Jamais agressifs quand ils sont en groupes, ils se contentent de tourbillonner autour du plongeur dans un ballet d'une grande ampleur.

Notre avis

Les alentours de Saint-Martin ne représentent pas les plus beaux fonds des Antilles, mais ils permettent de réaliser une bonne plongée de réadaptation lorsqu'on arrive d'Europe. L'occasion de retrouver ses sensations et de contrôler la bonne marche de son matériel, tout en se familiarisant avec la faune locale.

1

1) En contre-jour, Pseudopterogorgia americana *ressemble à un arbuste, mais c'est un animal.*

2) La plage de Grand Case, un petit coin de paradis tropical.

3) La gorgone Eunicea tourneforti *est accompagnée de petits* Thalassoma bifasciatum.

4) Pseudopterogorgia blanquillensis *est très étonnante avec sa forme plumeuse d'une rare élégance.*

GRAND CASE :
Le rocher aux gorgones

NIVEAU DE PLONGÉE	★
QUALITÉ DE LA PLONGÉE	★★
ASPECT TOURISTIQUE	★★

Petit village créole agrémenté d'une plage superbe, Grand Case est environné de récifs peu profonds, très propices à l'initiation des plongeurs débutants... La vie y est abondante et colorée, avec de jolies gorgones.

Renseignements pratiques

Pour débuter la plongée, Saint-Martin est idéale en raison de la température élevée de l'eau et de la faible profondeur de ses récifs. Seule la période hivernale entre décembre et avril peut nécessiter le port d'une combinaison en néoprène. Le reste du temps, l'eau à 26-28°C vous permettra d'apprécier le confort et la douceur du lycra. Le club de plongée situé sur la plage de Grand Case dispense un enseignement américain, bien qu'il se trouve du côté français de l'île. Le lieu privilégié pour les baptêmes et les plongées de réadaptation est Eagle Ray Rock. Les lieux de plongée n'étant pas balisés, et toujours difficiles à localiser, il est conseillé d'utiliser les services des professionnels de l'endroit qui vous guideront dans vos différentes explorations.

Particularités

Eagle Ray Rock se trouve juste à l'extérieur de la plage de Grand Case. C'est un endroit idéal pour les débutants avec des fonds n'excédant pas 6 m. Le récif couvre environ 8000 m² au beau milieu de cette jolie baie. Il est réputé pour ses murènes et doit son nom à la présence épisodique de quelques raies-aigles. Mais il nous a été impossible d'entrer en contact avec les vedettes de l'endroit. Si la plupart des récifs portent des noms de poissons : barracuda, requin, tortue, aigle, etc., mieux vaut ne pas fantasmer sur les probabilités d'une rencontre.

En revanche, nous avons été séduits par le nombre et la variété des gorgones plumeuses que recèle ce récif. Les plus communes sont les *Eunicea tourneforti*. Ces gorgones buissonnantes vivent en symbiose avec des algues microscopiques qui leur donnent cette couleur verte caractéristique. Elles servent souvent d'abri à une petite famille de poissons jaunes *(Thalassoma bifasciatum)* qui adorent virevolter entre les branches de leur hôte. Les plumes de mer *(Pseudopterogorgia)* sont les formes les plus gracieuses. Certaines peuvent atteindre 2 m de hauteur. Elles se balancent avec élégance au gré du courant ou de la houle. Leurs polypes sont rétractés la plupart du temps, donnant à la colonie une apparence très douce, comme du velours.

Il est fréquent de rencontrer des pontes diverses collées sur les tiges principales des gorgones buissonnantes. Il est vrai qu'elles constituent un abri parfait pour les alevins ou les tout jeunes invertébrés. Prédateur des gorgones, la monnaie caraïbe *(Cyphoma gibbosum)*, est un petit coquillage au ravissant manteau blanc brodé d'or.

Notre avis

Sans être grandiose, cette plongée est tout à fait agréable. Elle offre aussi l'occasion de découvrir une des plus belles plages de l'île de Saint-Martin et les très sympathiques restaurants créoles en plein air.

2

3

4

1) *Fantomatique dans le bleu, l'épave de Tintamarre.*

2) *Le Privilège 14,70, une base de plongée confortable.*

3) *L'îlot de Tintamarre, un bloc rocheux inhospitalier.*

4) *Le bateau est déjà bien concrétionné d'éponges rouges.*

5) *À l'intérieur de l'épave, l'eau se reflète comme un miroir.*

TINTAMARRE :

Cette épave va faire du bruit

NIVEAU DE PLONGÉE	★
QUALITÉ DE LA PLONGÉE	★★★
ASPECT TOURISTIQUE	★

Un petit remorqueur a été récemment coulé volontairement pour le seul plaisir des plongeurs. Cette épave est déjà environnée d'une myriade de poissons. C'est l'occasion rêvée pour les débutants de s'initier à la découverte d'un bateau fantôme...

Renseignements pratiques

Situé sur l'axe de navigation entre Saint-Barthélemy et Anguilla, juste après l'île Fourche, Tintamarre est un îlot français dépendant administrativement de la Guadeloupe. Il faut obligatoirement y accéder en bateau.

C'est avec un catamaran Privilège 14,70 de Jet Sea que nous avons réalisé cette plongée. Doté d'une grande stabilité en raison de sa largeur et disposant d'un grand espace libre, ce bateau est vraiment très pratique pour la plongée. Sa plate-forme arrière permet de se mettre facilement à l'eau.

L'endroit est balisé par une bouée accrochée sur l'épave. Si la mer est calme, attendez la fin de la matinée (à partir de 11 h) pour bénéficier de la meilleure clarté. L'épave sera alors éclairée par les rayons presque verticaux du soleil et vous apparaîtra avec ses plus belles couleurs. Comme dans toutes les îles des Antilles, la période hivernale (décembre à février) vous assure le temps le plus calme et l'eau la plus claire. Evitez les mois de juin à août perturbés par des tempêtes tropicales.

Particularités

Coulé volontairement en 1990 pour créer un lieu de plongée supplémentaire dans la région, un petit remorqueur de 20 m de longueur repose intact par 12 m de profondeur. Posé bien droit

3

sur le fond de sable, il a conservé l'ensemble de ses superstructures. Rares sont les épaves aussi bien conservées et il faut espérer qu'un cyclone ne viendra pas la dévaster. De nombreux poissons y trouvent refuge. Les premiers à vous rendre visite sont les sergents-majors *(Abudefduf saxatilis)* avec leur livrée galonnée. Ils virevoltent en grand nombre autour de la cheminée, mais ne pénètrent pas à l'intérieur du bateau. Le poste de commandes est tapissé d'algues. Les bulles du plongeur s'agglutinent sur la paroi supérieure, formant comme un miroir aux reflets étonnants.
Toute la coque du navire se couvre progressivement de concrétions. Sous la lumière de la lampe apparaissent de splendides spongiaires jaunes, orange et rouges. Encore peu nombreux, ils vont se développer au fil des années pour transformer petit à petit la coque de l'épave

4

5

en véritable bijou éclatant. Dans le ventre ouvert du bateau s'abritent des myriades de petits anchois, brillant sous la lumière de la lampe. Leur quiétude est parfois troublée par l'apparition menaçante d'un barracuda ou l'envol majestueux d'un poisson-ange.

Notre avis

Encore jeune et peu connue, cette épave est une plongée d'initiation idéale en raison de la clarté de l'eau, de la facilité de mouillage et de la profondeur limitée. Un pôle d'attraction évident pour le photographe.

1

1) *Une promenade en scooter parmi les gorgones* (Eunicea tourneforti).

2) *De spectaculaires spongiaires* (Tedania ignis) *colorent les coraux.*

3) *Juste à la sortie de Gustavia, se dresse le Pain de sucre.*

GUSTAVIA :
Rodéo sous le Pain de sucre

NIVEAU DE PLONGÉE	★★
QUALITÉ DE LA PLONGÉE	★
ASPECT TOURISTIQUE	★★★

Véritable Saint-Tropez des Caraïbes, «Saint-Barth» est le rendez-vous à la mode des voiliers de croisière. Plus connue comme lieu de vacances que pour ses fonds, cette petite île nous a séduits pour son petit côté «France du bout du monde».

Renseignements pratiques

Située au nord-ouest de la Guadeloupe, dont elle dépend administrativement, Saint-Barthélemy est appelée «Saint-Barth» par tous les touristes branchés. C'est un port franc dont le chef lieu, Gustavia, accueille tout au long de l'année de très beaux bateaux à voile. On trouve quelques centres de plongée dans les principaux hôtels de l'île, et de nombreux bateaux charter dont certains équipés de tout le matériel nécessaire. Plusieurs vols quotidiens relient Gustavia à Fort-de-France et la plupart des îles environnantes. La piste, très courte, est située au fond d'une cuvette. L'atterrissage est assez périlleux, les avions frôlant la colline en piquant du nez, juste avant de toucher le sol.
Pour visiter Saint-Barth, si vous êtes à l'escale ou

de passage pour quelques jours, ne manquez pas de louer une des innombrables « mini » décapotables qui parcourent l'île.
L'époque hivernale est idéale pour pratiquer la plongée. Entre décembre et février, les eaux sont généralement les plus claires. Température moyenne de l'eau : 24 °C.

Particularités

À la sortie du port de Gustavia, se dresse un piton rocheux appelé le Pain de sucre. On y accède facilement en quelques minutes avec un zodiac. Il faut ancrer le bateau à l'abri de la houle du large. N'oubliez pas de hisser le pavillon de plongée, car l'endroit est très fréquenté par des plaisanciers souvent insouciants. Le fond descend en pente douce jusqu'à une vingtaine de mètres de profondeur. Il ne s'agit pas d'un récif, mais d'un rassemblement épars de massifs coralliens généreusement plantés de gorgones. Les espèces en forme de buissons : *Plexaurella dichotoma* au toucher de velours et *Eunicea tourneforti* très ramifiée comme un arbuste sont les plus communes ici. Nous avons pris beaucoup de plaisir à slalomer dans ce jardin sous-marin avec un scooter électrique à batterie. Cet appareil silencieux et sans danger se soumet à la volonté du plongeur, lui économisant l'effort du palmage. Il vous permet d'aller à la rencontre des gros poissons de passage comme les carangues et les barracudas. Ces derniers sont très nombreux et, comme toujours, aussi curieux si ce n'est menaçants.

Notre avis

Il ne faut pas négliger l'aspect sous-marin de cette île, même s'il ne s'agit pas de la plus grande plongée des Antilles.
Certains pourront trouver Saint-Barth un peu snob, mais il suffit de se retrouver sur les petites plages presque désertes, pour vraiment profiter de la douceur de cette île qui sait à merveille allier la fantaisie tropicale aux plaisirs de la vie moderne et du luxe.

2

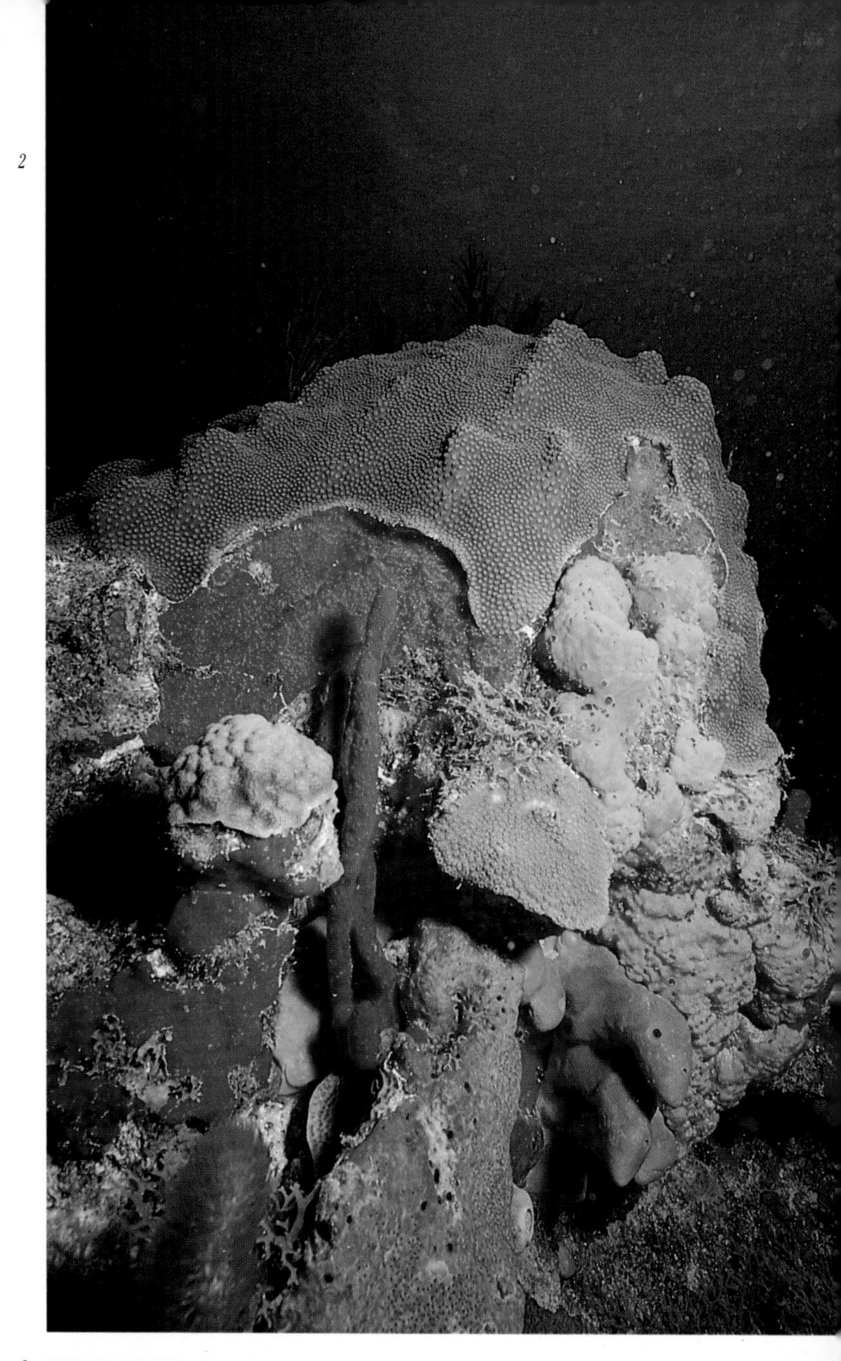

3

1

2

1) L'épave du Non-Stop repose coque en l'air, habillée par une simple chaîne d'ancre.

2) Cet immense bateau est facile à visiter. On peut pénétrer à l'intérieur sans danger.

3) L'hélice à l'envers donne une image assez incongrue du bateau.

4) Le port de Gustavia accueille de magnifiques bateaux de croisière.

GUSTAVIA :
L'épave sans fin

NIVEAU DE PLONGÉE	★★
QUALITÉ DE LA PLONGÉE	★★
ASPECT TOURISTIQUE	★★★

À la sortie du port de Gustavia, tout près du Pain de sucre, repose l'immense épave du Non-Stop. Une plongée facile, sur un géant retourné, devenu à jamais l'abri immobile d'innombrables poissons multicolores...

Renseignements pratiques

Le *Non-Stop* est un grand cargo de 70 m de long, coulé volontairement par 15 m de fond au large du port de Gustavia, la principale marina de Saint-Barthélemy. Il gît, coque en l'air, sur un fond de sable et ne pose aucun problème d'accès car il est balisé par une bouée blanche. On peut utiliser un petit bateau pneumatique pour accéder à l'épave. Comptez un quart d'heure de navigation depuis la marina. La bouée ayant été attachée sur l'ancre du bateau, elle est suffisamment solide pour servir de mouillage temporaire à un voilier, par exemple.

La plongée est bonne toute l'année, à la seule condition de la pratiquer par temps calme. En effet, dès que le vent se lève, la houle soulève le sable du fond, brouillant la visibilité.

3

Saint-Barthélemy bénéficie d'un climat subtropical. L'eau est à 26°C pratiquement en toute saison. La meilleure période se situe de janvier à avril, en raison de la clarté de l'eau.

Particularités

Le *Non-Stop* est retourné, quille en l'air. La coque est encore assez lisse car les concrétions naturelles n'ont pas encore eu le temps de se développer. Il faudra dépasser les années 95 pour que l'épave se patine de coraux et d'invertébrés colorés.
La descente le long de la coque au niveau de la chaîne d'ancre donne une idée précise de l'immensité du bateau. La plongée se poursuit le long des coursives. Ici, et là, une écoutille permet de pénétrer dans les entrailles de l'épave plongées dans le noir. Continuez jusqu'à l'hélice. C'est un passage obligé pour une bonne photo. Laissez-vous glisser ensuite vers le fond et passez sous le bateau. C'est le refuge privilégié de milliers d'alevins agglutinés en bancs compacts. Ils brillent sous la lampe, donnant l'impression de joyaux argentés. C'est autour du fond que grouille une vie intense avec le passage des poissons-anges, des rougets et des inévitables barracudas qui rôdent en quête d'une proie.
La plongée sur le *Non-Stop* est facile parce qu'il n'y a pas de courant. Quand l'eau est très claire, c'est un vrai régal. Les photographes prendront un malin plaisir à réaliser des images en contre-jour, silhouette du bateau accompagnée d'un minuscule plongeur.

Notre avis

Le *Non-Stop* n'est pas une épave exceptionnelle, en raison de sa position retournée. Toutefois, c'est une plongée à ne pas manquer, surtout pour les débutants. D'ici quelques années, quand il se sera transformé en véritable récif artificiel, ce bateau s'habillera de couleurs et deviendra un des passages obligés pour les plongeurs visitant cette région. Une attraction supplémentaire à l'actif de Saint-Barthélemy, le Saint-Tropez des Antilles.

4

1

1) Par 40 m de fond, l'eau reste très claire et permet d'apprécier les poissons virevoltant autour du récif.

2) D'énormes spongiaires colorés se développent sur le tombant.

3) Spongiaires et grandes gorgones rouges s'épanouissent avec grâce.

4) L'île de Saba semble assez inhospitalière, mais elle abrite des fonds merveilleux.

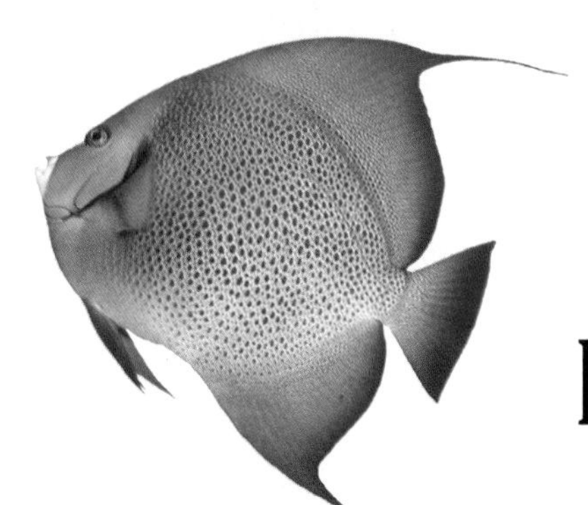

SHARK SHOAL:

Le tombant des abysses

NIVEAU DE PLONGÉE	★★★★
QUALITÉ DE LA PLONGÉE	★★★
ASPECT TOURISTIQUE	★★

Île rocailleuse, hors du temps et du monde, Saba est beaucoup fréquentée par les plongeurs. Ses eaux sont réputées, avec raison, parmi les plus belles plongées à l'est des Caraïbes...

Renseignements pratiques

Saba (on prononce Ceiba) émerge de la mer des Caraïbes à environ 50 km au sud de Saint-Martin. L'île apparaît comme une montagne abrupte surgie des eaux. Généreusement couverte d'une belle végétation tropicale, Saba semble vivre dans un autre monde au rythme paisible des saisons. On peut rejoindre le cœur de l'île par avion. Seule la compagnie Windworld est autorisée à atterrir sur la piste ultracourte de l'aéroport (400 m). Il est aussi possible d'arriver par bateau, le petit port de Fort Bay servant de mouillage par beau temps. Il est peu abrité. Quelques auberges accueillent les visiteurs, mais il est prudent de réserver à l'avance. Le Captain's Quarters est la plus renommée, en particulier pour son restaurant.

2

3

La plongée se développe beaucoup sur Saba et plusieurs spécialistes proposent des sorties quotidiennes. Les plus réputés sont Sea Saba et Saba Deep. La plongée à Saba est excellente toute l'année par temps calme. En hiver, la visibilité peut dépasser 30 mètres. La température de l'eau est comprise entre 22° et 28°C.

Particularités

Beaucoup de récifs autour de Saba sont appréciés pour leur faible profondeur et leur faune abondante. On rencontre régulièrement des barracudas très familiers car ils sont nourris par les plongeurs locaux. Nous avons préféré vous présenter une plongée profonde (40 à 50 m) car elle n'est pratiquement jamais proposée aux visiteurs. En effet, comme dans la majorité des sites de la zone Caraïbes, on plonge à l'américaine à Saba. Cela signifie l'interdiction d'entrer dans la zone des paliers.
Il suffit de louer un bateau de croisière et des bouteilles pour effectuer cette plongée car elle est parfaitement balisée. Il s'agit d'un rocher remontant des abysses jusqu'à 28 m de profondeur environ. Les plongeurs d'un niveau moyen peuvent se satisfaire de l'exploration de cette plate-forme riche en coraux, spongiaires et gorgones. Mais l'attrait des grandes profondeurs est souvent irrésistible. Tout en restant proche de la roche qui dévoile mille concrétions colorées et porte de jolies branches de corail noir, regardez vers le large. Il serait étonnant de ne pas apercevoir la silhouette furtive d'un requin et quelques grands bancs de carangues.

Notre avis

Shark Shoal (qui signifie banc de requins) est une plongée un peu magique car on se sent grisé par la profondeur et ravi par la richesse des lieux. En raison de la clarté des eaux, de la facilité d'accès et du relief simple, c'est un bon endroit pour s'initier à la plongée profonde.

4

1

1) Une éponge géante (Xestospongia muta) ouvre sa bouche énorme par 40 m de fond.

2) Les eaux transparentes permettent d'apprécier la silhouette fantomatique des plongeurs.

3) Callyspongia vaginalis est une magnifique éponge branchue de couleur mauve.

TENT REEF :

Les éponges aux mille couleurs

NIVEAU DE PLONGÉE	★★★
QUALITÉ DE LA PLONGÉE	★★★
ASPECT TOURISTIQUE	★★

Tout autour de la délicieuse île de Saba, d'innombrables récifs permettent de merveilleuses plongées-découvertes. Ils sont très richement peuplés d'éponges, certaines vraiment gigantesques...

Renseignements pratiques

Près de 30 sites de plongée sont recensés autour de l'île de Saba. On comprend donc l'engouement dont jouit ce petit coin perdu. De nombreux bateaux effectuant des croisières-plongées, sillonnent les eaux de Saba. Certains sont remarquablement équipés, disposant même de laboratoires photographiques à bord pour développer les images rapportées par les plongeurs.
Saba mérite au moins une semaine de séjour. Il ne faut pas manquer une visite à pied d'une journée dans l'île. Vous pourrez admirer des panoramas magnifiques et découvrir une flore haute en couleurs. Il faut être bon marcheur, car Saba s'élève jusqu'à 900 m au-dessus de la mer. C'est un endroit où le temps ne compte pas. La première automobile n'a emprunté l'uni-

que route de l'île qu'en 1947. Quant à l'électricité, elle n'est disponible toute la journée que depuis 1970 ! Mais il est vrai que l'île ne compte guère que 1000 habitants.

Particularités

Un des lieux de plongée les plus fréquentés de Saba est Tent Reef. Ce petit récif, aux contours irréguliers, est généreusement planté de gorgones et d'éponges. On dirait des buissons dans un jardin. Il s'agit pourtant d'animaux. Les éponges représentent les êtres multicellulaires les plus primitifs du monde animal. Sédentaires, elles se comportent comme un filtre permanent qui capture le microplancton.

Dans les eaux claires et peu profondes de Tent Reef, on rencontre beaucoup d'éponges branchues (*Callyspongia vaginalis*). Elles sont caractéristiques des fonds de moins de 20 m. La forme azurée (*Callyspongia plicifera*) présente une silhouette plus trapue. Le récif de Tent Reef se prolonge par un tombant qui descend jusqu'à 30 m. C'est le domaine des éponges géantes (*Xestospongia muta*) qui peuvent atteindre 2 m de hauteur. Les plus gros sujets sont âgés de plus d'un siècle ! On les rencontre à partir de 30 m et jusqu'à 40 m de profondeur. C'est sur le site appelé Needle in the Eye (l'aiguille dans l'œil) que nous avons découvert les plus énormes spécimens. C'est une plongée rarement proposée car elle dépasse les 40 m, mais la pointe rocheuse en forme d'aiguille qui émerge des grandes profondeurs, laisse un souvenir impérissable. La beauté simple et impressionnante des abysses...

Notre avis

Les éponges font partie du paysage typique des récifs des Caraïbes. Elles peuvent paraître banales pour certains, mais si vous savez les observer de près (surtout à l'intérieur), vous découvrirez souvent qu'elles abritent divers commensaux, notamment des crinoïdes, des crevettes, ou parfois un gros mérou !

2

3

1

1) Accompagnant une gorgone du genre Plexaura, *un grogneur* (Haemulon) *semble monter la garde.*

2) Un banc de Haemulon aurolineatum, *des poissons peu farouches qui semblent apprécier les plongeurs.*

THE WALL :
La garde des grogneurs

NIVEAU DE PLONGÉE	★★★
QUALITÉ DE LA PLONGÉE	★★★
ASPECT TOURISTIQUE	★★

Le long d'un fabuleux tombant plongeant à pic jusqu'à 300 m de profondeur, paradent des bancs de poissons-grogneurs. Ils doivent leur nom au son qu'ils émettent quand ils sont dérangés.

Renseignements pratiques

Statia, comme on dit ici, est une petite île bien discrète. Elle forme un triangle avec Saint-Barthélemy et Saba, devenant à l'occasion un lieu d'escale lors d'une croisière à la voile d'une semaine. Avec ses 6,5km de long et ses 3km de large, Saint-Eustache a été formée par deux volcans aujourd'hui éteints. L'île a longtemps été un centre de commerce très important dans les Antilles. Elle a changé vingt deux fois de nationalité depuis sa découverte par Christophe Colomb en 1493. Aujourd'hui elle est néerlandaise, mais paraît plutôt anglaise car c'est la langue la plus couramment parlée. Un guide de huit pages, le Walking Tour Guide vous permet de découvrir l'histoire de l'île.
La plongée se développe beaucoup aujourd'hui.

Elle est organisée par Surfside Statia qui dispose d'un bateau confortable de 12 m pour accéder aux sites. Le centre est situé à l'hôtel The Old Gin House, agréable mais assez cher.

Particularités

La température moyenne de l'eau est de 24 à 26°C. En été, la visibilité est très bonne. C'est l'occasion rêvée pour plonger sur le grand tombant The Wall, situé au sud de l'île.
On plonge sur une sorte d'escalier de corail qui descend progressivement vers l'abîme. Vers 30 m, le tombant coule à pic vers les abysses, le fond à cet endroit est à près de 300 m. Cela donne à la plongée un peu de piquant et surtout vous offre cette extraordinaire sensation d'apesanteur que seul le plongeur peut ressentir pleinement. Bien équilibré avec la *stabilizing jacket*, vous planez au-dessus de l'abîme, contemplant les nombreux poissons qui peuplent les lieux.
Les espèces dominantes en nombre sont incontestablement les grogneurs. Ces poissons appartiennent au genre *Haemulon*. Ils vivent la plupart du temps en bancs, émettant un grognement caractéristique quand on les dérange ou s'ils sont effrayés. Proches des lutjans, les grogneurs ont un comportement assez distant avec les plongeurs. *Haemulon aurolineatum,* le grogneur à ligne jaune est le plus commun ici. Il parade en bancs de cinquante à plus de cent individus. On peut le confondre avec le grogneur français (*Haemulon flavolineatum*) dont le fond de la robe est jaune avec des rayures bleues. Le margate (*Haemulon album*) apprécie les eaux assez profondes. On le reconnaît facilement à sa robe grise sans aucune marque. C'est le plus gros des grogneurs.

Notre avis

La plongée sur ce grand tombant est assez impressionnante car elle peut occasionner des sensations de vertige, surtout si l'eau est claire. Toutefois, l'absence de courant, la douceur des eaux et le climat agréable rendent l'expérience accessible aux plongeurs moyens, à condition qu'ils soient accompagnés d'une personne bien expérimentée.

2

1

1) La photographie des tuniciers exige l'emploi d'accessoires pour la macro.

2) Les curieuses ascidies des tuniciers encroûtants se rencontrent sur les gorgones.

3) Deux espèces de tuniciers colorés déploient leurs urnes. Il s'agit d'espèces du genre Clavelina.

4) Le très curieux tunicier-bouton (Distaplia corolla).

5) Cette ascidie jaune d'or appartient au tunicier Polycarpa obtecta.

STATIA : Le mur des tuniciers

NIVEAU DE PLONGÉE	★★
QUALITÉ DE LA PLONGÉE	★★★
ASPECT TOURISTIQUE	★★

Petite île oubliée des Antilles, Saint-Eustache pourrait devenir d'ici peu, une des grandes destinations touristiques pour la plongée, tant ses fonds recèlent de beautés...

Renseignements pratiques

Saint-Eustache ou Sint-Eustatius de son nom officiel est plus couramment appelée Statia. Toute proche de Saba, elle en possède les grands tombants vertigineux, mais reste encore méconnue des plongeurs. On rejoint facilement Statia depuis Saint-Martin par l'un des deux vols quotidiens de la compagnie Winair.

La plongée s'est développée dans l'île depuis 1985 seulement. Les récifs sont donc encore peu fréquentés et très bien conservés. Actuellement, la plongée est organisée par Surfside Statia. Ce centre de plongée s'est spécialisé dans la récupération des objets historiques que contiennent les très nombreuses épaves de la région. Tous les objets collectés sont regroupés dans le musée local.

Pour les Français, le logement s'effectuera de préférence à La Maison sur la Plage, un hôtel situé à 3 km de la plage, mais «bien de chez nous». Les plongeurs polyglottes pourront préférer le Golden Era Hotel qui offre l'avantage d'être situé juste à côté du centre de plongée.

Particularités

Beaucoup de plongeurs visitent Statia pour ses épaves. Toutefois, ces bateaux ne présentent pas un état de conservation remarquable. Il est vrai qu'ils datent de la première moitié du XIXe siècle. Cette plongée sera surtout appréciée par les amateurs d'archéologie.

Si vous préférez la biologie, recherchez plutôt les sites de Carolyn's Reef, The Garden ou The Greenhouse. Il s'agit de petits récifs fort agréables que vous pourrez explorer en toute quiétude car il n'y a pas de courant.

On y rencontre la faune habituelle des Caraïbes, mais nous y avons remarqué une abondance de tuniciers. Ce groupe d'animaux sédentaires fait curieusement partie des vertébrés alors qu'on les associerait volontiers aux éponges. Il est vrai que d'un point de vue purement extérieur, il est parfois difficile de les différencier avec certaines éponges. On compte pas moins de 1375 espèces de tuniciers, dont 1250 ascidies. Ces dernières vivent en colonies ou solitaires selon les espèces. Les ascidies sont toujours associées à d'autres êtres vivants qu'elles utilisent comme supports : éponges, gorgones, etc. L'animal est en fait un filtre vivant. Il comprend deux siphons. L'un aspire l'eau, tandis que l'autre la rejette. Les micro-organismes en suspension et le plancton sont conservés à l'intérieur de l'ascidie qui s'en nourrit. Très commun, le tunicier-bouton *Distaplia corolla* est une forme vivant en colonie. Chaque tunicier est circulaire et s'agglutine à son voisin. On le rencontre souvent avec des éponges encroûtantes. Les *Clavelina* ressemblent à des petits tonneaux, alors que les *Didemnum* et les *Polycarpa* peuvent être confondus avec des éponges.

Notre avis

Saint-Eustache est appelée avec raison «l'île d'Or des Caraïbes». Elle donne l'impression de vivre à une autre époque avec ses forteresses armées de vieux canons et ses épaves anciennes. De nouveaux sites de plongée sont découverts en permanence, garantissant dépaysement et aventure à tous les visiteurs.

2

3

4

5

1

1) La grosse murène verte (Gymnothorax funebris) *semble toujours menaçante avec sa gueule largement ouverte.*

2) Les murènes tachetées appartiennent au genre Lycodontis.

3) Attirée par un morceau de poisson, une grande murène verte accepte de sortir complètement de son trou.

4) Plus rare, la murène à queue effilée (Myrichthys breviceps) *se rencontre surtout la nuit.*

SALT TAIL REEF :

Dans l'antre des poissons-serpents

NIVEAU DE PLONGÉE	★★
QUALITÉ DE LA PLONGÉE	★★★
ASPECT TOURISTIQUE	★★★

Dans un parc sous-marin d'une grande beauté, d'innombrables murènes peuplent les anfractuosités des coraux. Ces poissons reptiliens serpentent au gré du courant laissant découvrir leurs dents acérées et menaçantes...

Renseignements pratiques

Depuis 1981, Antigua et ses satellites Barbuda et Redonda, constituent un État indépendant. Elles font partie des Petites Antilles (Leeward Islands). Antigua se situe à mi-chemin entre Saint Kitts-Nevis et la Guadeloupe. C'est un endroit touristique dont la prospérité est due en grande partie aux 200 000 visiteurs annuels. Pays au climat tropical, couvert d'une riche végétation, Antigua est réputée pour ses plages et ses bonnes infrastructures pour les sports nautiques de toutes sortes.

La plongée se pratique tout autour de l'île. Salt Tail Reef constitue un parc sous-marin protégé. C'est une barrière corallienne continue d'une vingtaine de kilomètres de longueur. Elle s'étend au nord-ouest d'Antigua. C'est un endroit magnifique aux eaux peu profondes et d'une grande clarté. Toutes les plongées effectuées à Antigua se trouvent à moins de 2 milles des plages. Cela permet plusieurs sorties quotidiennes. Elles se font toujours sur des petits bateaux emportant un maximum de 12 plongeurs. Cela assure un bon confort et la découverte des fonds en toute tranquillité.

Particularités

Il n'y a pas beaucoup de gros poissons à Salt Tail Reef. En revanche, les formations coralliennes sont de toute beauté. La profondeur moyenne de la plongée se situe aux environs de 12 m. Le matin, la clarté de l'eau est toujours meilleure.

Nous avons rencontré une forte concentration de murènes dans ces eaux. Cette abondance est due sans doute au mouvement de l'eau qui est agitée par la houle. Les murènes sortent la tête de leurs trous et se laissent balancer au gré du flux et du reflux. Elles semblent prendre beaucoup de plaisir à ce va-et-vient. En dépit de leur aspect serpentiforme, il s'agit de poissons. Contrairement à une légende tenace, les murènes ne sont pas du tout venimeuses mais, en revanche, leur morsure est très douloureuse.

L'espèce la plus courante est la grosse murène verte *(Gymnothorax funebris)*. Ce poisson impressionnant peut dépasser 1,50 m de longueur. Il se cache dans les anfractuosités de corail, ne laissant dépasser que sa tête. Il faut l'attirer avec un appât de poisson pour que la murène consente à sortir complètement de son abri. On rencontre aussi souvent la murène tachetée *(Gymnothorax moringa)*, une espèce de plus petite taille, au corps effilé. Plus rares et surtout nocturnes, la murène à taches jaunes *(Myrichthys ocellatus)* et la murène à queue effilée *(Myrichthys breviceps)* présentent la particularité de s'enfoncer dans le sable.

Le mouvement des mâchoires qui donne aux murènes cet aspect menaçant si caractéristique n'est pas du tout une manifestation belliqueuse. C'est simplement une assistance respiratoire.

3

2

4

Notre avis

Salt Tail Reef est un endroit très tranquille pour une plongée facile, qu'il vaut mieux faire quand on est bien amariné, le mouvement de la houle nous accompagnant en permanence pendant toute la plongée. Un des grands avantages de ce lieu protégé est de pouvoir approcher facilement les poissons. Ils se montrent fort peu craintifs, ce qui plaira aux photographes.

1

1) Le récif de Weymouth généreusement peuplé de petits poissons-nettoyeurs. Au premier plan, une gorgone rouge (Ilicigorgia schrammi).

2) Thalassoma bifasciatum *dans sa forme supermâle.*

3) Un groupe de jeunes girelles (Thalassoma bifasciatum) *se transforme en station-service à proximité d'une gorgone* (Eunicea bifasciatum).

WEYMOUTH REEF : Détente à la station-service

NIVEAU DE PLONGÉE	★★
QUALITÉ DE LA PLONGÉE	★★
ASPECT TOURISTIQUE	★★★

À proximité de la délicieuse Sandy Island, un récif très riche en coraux accueille d'innombrables poissons. Ils viennent profiter d' une petite cure de nettoyage dans les stations-service tenues avec beaucoup de zèle par les girelles-paons...

Renseignements pratiques

Sandy Island est une petite île corallienne de 300 m de diamètre. Elle est située à 3 km au large de la plage de Hawksbill sur la côte ouest d'Antigua. Le Weymouth Reef qui s'étend au sud-ouest de Sandy Island est un des endroits les plus réputés pour la plongée. Il doit son succès à ses généreuses formations coralliennes et à sa richesse en petits poissons très colorés. La plupart des centres de plongée d'Antigua visitent régulièrement Sandy Island. Tous les spécialistes de la plongée d'Antigua se trouvent à Saint John's, la capitale. C'est le cas notamment de Aquanaut International, qui travaille surtout avec le Saint James Club et le Galleon Beach Club. Dive Antigua opère plutôt avec le Hawksbill Beach Hotel à Siboney Beach. Quant à Dive

Runaway, il se trouve logiquement au Runaway Beach Club. Tous ces centres de plongée possèdent au moins 2 bateaux, ce qui leur permet de proposer un service complet et des sorties différentes chaque jour.

Particularités

C'est à Weymouth Reef que nous avons observé le plus aisément ce que les Anglo-Saxons appellent les «cleaning stations». Il s'agit de sortes de stations-service pour le nettoyage des poissons. Situés sur la partie supérieure de coraux plats, le plus souvent abrités par quelques touffes de gorgones, ces endroits particuliers servent d'escale aux différents poissons (surtout des perroquets et des labres) pour leur toilette corporelle. Cette dernière est assurée par une équipe efficace de poissons spécialisés. Les plus courants sont les girelles-paons multicolores *(Thalassoma bifasciatum)*.
Les girelles-paons assurent leurs fonctions de nettoyeurs uniquement dans leur phase juvénile. On les reconnaît facilement à leur livrée blanc et jaune citron, caractéristique de ces petits poissons de 10 cm de longueur environ. Rassemblés en troupes d'une douzaine d'individus, ils virevoltent en tous sens, créant une ambiance joyeuse dans le récif. À l'âge adulte, la robe change complètement. Le poisson devient bicolore avec la tête bleue et l'arrière du corps, vert. Les deux parties sont séparées par deux bandes noires verticales. Cette livrée caractérise uniquement les mâles. Les femelles conservent le coloris juvénile pendant toute leur vie, à moins qu'elles ne se métamorphosent en mâles, ce qui est assez courant.
Assez proche dans sa silhouette, mais caractéristique par sa robe violet et jaune, le gramma royal *(Gramma loreto)* est un hôte très fréquent de ce récif. On le rencontre toutefois dans les endroits moins éclairés et les cavités rocheuses.

Notre avis

Sans être grandiose, la plongée à Sandy Island (à ne pas confondre avec l'île du même nom située au large d'Anguilla) offre l'occasion de promenades agréables et tranquilles car il n'y a pas de courant et l'eau reste très claire. Sandy Island est très reconnaissable à la présence d'une épave, il s'agit d'un cargo qui gît à quelques brasses de la plage. Les amateurs d'apnée pourront également profiter des fonds de Sandy Island qui dépassent rarement 15 m.

2

3

1

1) L'extraordinaire crabe Mithrax spinosissimus *est l'espèce la plus grande des Caraïbes. Une sorte d'araignée de mer.*

2) Octopus filosus *déploie ses bras tentaculaires pour capturer une proie.*

3) Le crabe Mithrax spinosissimus *peut dépasser 15 cm de diamètre. Pattes déployées, il atteint 50 cm.*

4) Le poulpe commun (Octopus vulgaris) *est un animal timide qui se dissimule sous les rochers.*

CADES REEF :
Les chasseurs de la nuit

NIVEAU DE PLONGÉE	★★★
QUALITÉ DE LA PLONGÉE	★★★
ASPECT TOURISTIQUE	★★★

Dans les eaux tranquilles d'Antigua, la plongée de nuit est un régal. C'est l'occasion d'y rencontrer certains êtres mystérieux, notamment des poulpes et des crabes qui profitent des ténèbres pour sortir de leurs antres et partir en chasse...

Renseignements pratiques

À cheval sur la mer des Caraïbes et l'océan Atlantique, Antigua est soumise à deux types d'influences maritimes. À l'ouest, c'est la douceur tropicale, à l'est et au nord, les flots sont plus rugueux et même parfois rageurs.
Des vols directs relient Saint John's, la capitale d'Antigua, à New York ou Miami par les compagnie American Airlines et Eastern Airlines. C'est une île au climat chaud et aux précipitations rares mais violentes. La température moyenne ici est de 26°C. Les périodes les plus chaudes sont comprises entre juillet et octobre. Découverte et nommée par Christophe Colomb en 1493, Antigua a été une colonie anglaise à partir de 1632. Hormis un épisode de colonisation française pendant une année, Antigua a tou-

jours été sous l'influence britannique. Depuis 1981, c'est un pays indépendant qui reste toutefois affilié au Commonwealth.

Particularités

Les récifs peu profonds et guère éloignés des côtes font d'Antigua un endroit très sûr pour la plongée. On n'y rencontre pratiquement jamais de gros poissons pélagiques. La plongée de nuit peut par conséquent s'y pratiquer en toute quiétude. Nous avons choisi Cades Reef pour notre exploration nocturne. Ce récif se trouve à cheval sur la mer des Caraïbes et l'océan Atlantique. Il faut y plonger par temps calme. La plongée se déroule à l'extrême pointe sud d'Antigua, pas très loin du Blue Heron Hotel. Le récif est situé à environ 1 km de la plage. L'abondance de relief, avec de nombreuses petites grottes, permet de rencontrer une faune très variée durant la nuit. Nous avons surtout recherché les crabes et les poulpes, deux types d'invertébrés très répandus, mais quasiment impossibles à voir durant la journée.

2

Les poulpes sont très timides dans les eaux des Caraïbes car ils ont beaucoup d'ennemis. Ils sortent uniquement la nuit. L'espèce la plus commune *(Octopus filosus)* possède une marque sous les yeux, cela permet de la distinguer du poulpe ordinaire *(Octopus vulgaris)*, plus occasionnel dans ces eaux. Pris dans le faisceau d'une lampe, les poulpes changent rapidement de couleur, montrant leur indignation d'être dérangés ; puis ils s'enfuient avec une grande agilité, en étirant leurs tentacules.
Les crabes sont des créatures extraordinaires, à la fois menaçantes et fascinantes. Le plus fréquent est le crabe collant *(Clinging crab)*, un pro-

3

che parent des araignées de mer. Il se reconnaît à ses longues pattes et ses couleurs vives. Les scientifiques l'appellent *Mithrax spinosissimus*. On rencontre aussi une espèce voisine plus velue *(Mithrax pilosus)*. Ce sont les plus gros crabes de toutes les Caraïbes.

Notre avis

La plongée de nuit est toujours passionnante, à condition d'être patient et chanceux. Il faut multiplier les expériences pour découvrir toute cette faune étrange et merveilleuse qui s'anime dès que le soleil s'est couché. En raison des conditions ambiantes particulières, ce type d'activité est à réserver aux plongeurs déjà confirmés.

4

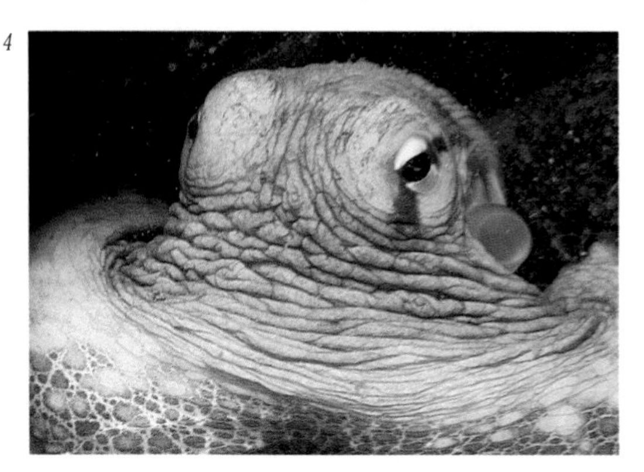

1

1) En détail, les circonvolutions du corail cerveau Colpophyllia natans.

2) Un madrépore aux méandres irréguliers : Diploria strigosa.

3) Comme un bouquet de fleurs : Montastraea annularis.

4) Compact et comme une broderie : Mussa angulosa.

5) Le bien nommé Diploria labyrinthiformis.

6) Un détail du corail Montastraea cavernosa.

7) Le paysage de la réserve Pigeon invite à la détente.

PIGEON :
Des coraux à foison

NIVEAU DE PLONGÉE	★★
QUALITÉ DE LA PLONGÉE	★★
ASPECT TOURISTIQUE	★★★

Connus aussi sous le nom de réserve Cousteau, les fonds des îlets Pigeon sont un petit coin de nature parfaitement préservé. L'eau peu profonde, claire et chaude, a permis le développement d'une profusion de formes coralliennes.

Renseignements pratiques

Situés à l'ouest de Basse-Terre, entre Bouillante et Pointe-Noire, les îlets Pigeon sont une réserve naturelle de toute beauté. C'est le lieu le plus fréquenté par les plongeurs de la Guadeloupe. Cette île en forme de papillon est la plus grande des Petites Antilles. Le climat tropical est en permanence rafraîchi par les alizés qui soufflent de l'Atlantique. Les îlets Pigeon sont situés sur la Côte-sous-le-Vent. Bien abrités, ils permettent une plongée tranquille pratiquement toute l'année.
On trouve de nombreux clubs de plongée à la Guadeloupe, notamment dans les hôtels PLM, La Vieille Tour et Créole Beach. Il existe des liaisons quotidiennes par Air france entre la Métropole et la Guadeloupe.

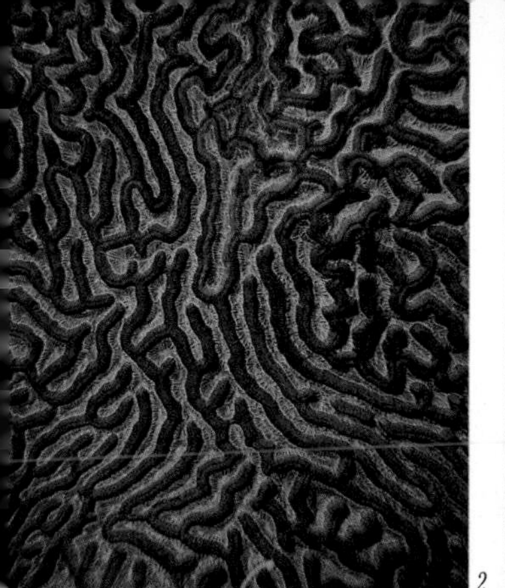

2

3

4

5

6

Particularités

Le statut de réserve marine fait des îlets Pigeon un lieu privilégié pour la plongée. Les coraux se sont développés en abondance dans ces eaux claires. On y rencontre les espèces les plus communes des Caraïbes. Les plus spectaculaires sont les madrépores globuleux. Certains sont appelés coraux fleuris ou coraux étoilés (*Montastraea annularis, Montastraea carvernosa, Stephanocoenia michelinii, Eusmilia fastigiata,* etc.). C'est dû à leur squelette calcaire formé de la juxtaposition de milliers de coques étoilées. Chacune contient un polype qui s'épanouit la nuit, transformant la colonie en fleur magnifique. Beaucoup de ces coraux dépassent 1,50 m de circonférence. Il en est de même pour les différents coraux en forme de cerveau (*Diploria strigosa, Diploria labyrinthiformis, Diploria clivosa, Colpophyllia natans,* etc.) Très solides, ces formations ont parfaitement résisté au passage des cyclones. Plus modestes, les coraux en forme de champignons (*Mussa angulosa, Mycetophyllia aliciae,* etc.) sont remarquables par leurs couleurs et leurs propriétés parfois fluorescentes.
Les coraux constituent un biotope complexe qui est à la base de la chaîne alimentaire de tout le récif. Leur abondance et leur diversité dans la réserve de Pigeon montrent tout l'intérêt d'une protection contrôlée et donnent une idée de ce que pouvait être la richesse de ces mers avant que les hommes n'y causent des dégâts souvent irréparables.

Notre avis

Les îlets Pigeon font partie des lieux de plongée incontournables des Antilles. Les plongeurs confirmés pourront s'aventurer plus au large où une épave a été coulée en juin 1991 sur un fond de 40 m. Elle est déjà habitée par de gros mérous et des barracudas de belle taille.

7

1

1) Sur une éponge géante, une foule d'ophiures (Ophiothrix suensonii) *est accompagnée d'un crinoïde* (Davidaster rubiginosa).

2) Marie-Galante est une île tropicale délicieuse qui invite à la détente.

3) Xestospongia muta *est une éponge impressionnante. Ici, elle est couverte d'ophiures.*

MARIE-GALANTE :

Les étoiles de soie

NIVEAU DE PLONGÉE	★★
QUALITÉ DE LA PLONGÉE	★★★
ASPECT TOURISTIQUE	★★

Au cœur d'un récif peu exploré, d'énormes éponges en forme de vase servent de repaire à d'innombrables ophiures. Ces fragiles étoiles aux bras soyeux sont des nettoyeurs méticuleux, éléments indispensables dans cet écosystème...

Renseignements pratiques

Marie-Galante est une île satellite de la Guadeloupe dont elle dépend d'ailleurs administrativement. Elle se trouve au nord-ouest de Basse-terre, séparée par le canal de Marie-Galante. C'est un endroit idéal, pour la détente et le repos, qui a conservé tout son caractère tropical et ses traditions créoles. La population locale vit essentiellement de la culture de la canne à sucre. La pêche y reste très traditionnelle ce qui permet une bonne conservation des récifs. Le joli nom de Marie-Galante est dû à Christophe Colomb. Ayant découvert l'île le 3 novembre 1493, il lui donna le nom d'une de ses caravelles. L'île, peu élevée, prend une forme originale, légèrement arrondie, ponctuée ici et là de falaises abruptes. La plongée s'effectue à partir de bateaux loués

3

en Guadeloupe, ou directement, avec des clubs de Grande-Terre qui peuvent y effectuer une sortie pour la journée par très beau temps. L'idéal est bien sûr d'arriver en voilier et de prendre son temps pour explorer les anses : Mays, Vieux-Fort, Bois d'Inde, Pointe Pisiou, Chapelle, Ballet et autres noms évocateurs, ainsi que les jolies baies comme celle de Saint-Louis. L'infrastructure hôtelière est modeste et il n'y a pas encore de club de plongée professionnel installé sur Marie-Galante.

Particularités

Il est bon de disposer d'un sondeur pour découvrir les sites de plongée autour de Marie-Galante. D'une manière générale, les fonds sont assez riches, les récifs associant roches et coraux. Ils descendent vers les grands fonds comme des escaliers en gradins faciles à explorer.

Nous avons été fort surpris de découvrir dans ces eaux une concentration exceptionnelle d'ophiures. Ces échinodermes, voisins des étoiles de mer, se rencontrent sur les éponges et notamment sur les immenses formes en vase *(Xestospongia muta)*. Appelées étoiles fragiles (Brittle Star) par les anglais, ces ophiures *(Ophiothrix suensonii)* jouent le rôle d'aspirateur naturel pour les éponges. Elles se nourrissent d'organismes microscopiques et de matières organiques qu'elles broutent à la surface de l'éponge. Par endroits, les parois des éponges en sont littéralement couvertes. C'est d'autant plus étonnant que, d'ordinaire, ces timides animaux se rencontrent plutôt la nuit.

En cherchant bien parmi les éponges, il est également possible de rencontrer le petit crabe-araignée *(Stenorhynchus seticornis)* au corps triangulaire prolongé d'un long rostre. Une rencontre étonnante avec un animal nullement effrayé par les plongeurs. Si vous approchez de très près des gorgones bleues *(Gorgonia ventalina)*, vous rencontrerez souvent un petit coquillage à la robe léopard *(Cyphoma gibbosum)*. On l'appelle ici «monnaie caraïbe».

2

Notre avis

Marie-Galante est une île pleine de charme qu'il faut visiter lors d'un voyage en Guadeloupe. La plongée s'effectuant sur des sites quasiment vierges, elle vous assure des découvertes intéressantes, surtout parmi les invertébrés.

1

1) Cliona caribboea *est une éponge perforante, commune sur les gorgones en éventail.*

2) Agelas conifera, *une éponge très courante dans les Caraïbes.*

3) Aiolochroia crassa *se reconnaît à sa couleur jaune nuancée de rose.*

4) Verongula gigantea, *une grande éponge jaune qui abrite souvent des crevettes.*

5) Vue depuis le fort Napoléon, la magnifique baie de Terre-de-Haut.

6) Siphonodictyon coralliphagum *est une éponge perforante, parasite des madrépores.*

LES SAINTES :
À la rencontre des éponges d'or

NIVEAU DE PLONGÉE	★★
QUALITÉ DE LA PLONGÉE	★★
ASPECT TOURISTIQUE	★★★

Petites îles adorables dépendant administrativement de la Guadeloupe, les Saintes vivent au rythme tranquille et doux des Antilles. Les plongeurs seront séduits par la générosité des récifs...

Renseignements pratiques

Petit archipel situé au sud-ouest de la Guadeloupe, les Saintes sont seulement éloignées d'une dizaine de kilomètres de Basse-Terre. Elles sont composées de deux îles principales : Terre-de-Haut et Terre-de-Bas et de six îlets entourés de récifs où l'on peut plonger. Les 3000 habitants des Saintes sont très accueillants.
En raison de leur relief accidenté, les Saintes offrent un paysage varié et de toute beauté. Depuis le Chameau à 309 m d'altitude, vous dominez tout l'archipel.
On accède aux Saintes par avion ou par bateau. Il existe deux vols quotidiens depuis Pointe-à-Pitre. Très touristiques, les Saintes sont réputées pour leur restauration. On trouve un centre de plongée bien équipé à l'hôtel PLM.

2 3 4 5 6

Particularités

Comme un peu partout dans les Caraïbes, les récifs sont peu profonds. On descend rarement en dessous de 15 m. Cela ravira les photographes qui bénéficient d'une eau à la fois claire et lumineuse. Il n'y a pas de découvertes exceptionnelles à faire au cours des plongées aux Saintes, amateurs de gros s'abstenir.
En revanche, les passionnés de biologie marine, et plus particulièrement d'invertébrés, trouveront de quoi satisfaire leur curiosité. Nous avons été tout particulièrement séduits par la diversité des éponges couleur jaune d'or. Les plus communes (*Aplysina fistularis*) se déploient en petits bouquets pouvant dépasser 1 m de diamètre. Appelée éponge en tube jaune, cette espèce abrite souvent des gobies. Très reconnaissable à sa livrée d'or maculée de rose pourpre, l'éponge branchue (*Pseudoceratina crassa)* appelée aussi *(Aiolochroia crassa*) est plus compacte que l'espèce précédente. Il en existe de couleur orange ou verte. Assez typique aussi, l'éponge ballon (*Cinachrya sp*) est arrondie et poreuse. Elle apprécie les endroits peu éclairés. Certaines éponges parasitent le récif. C'est le cas de *Siphonodictyon coralliphagum*, une forme encroûtante aux petits tubes dressés. Elle envahit le corail, le transperçant par l'acide qu'elle sécrète. Quant à *Cliona caribboea*, on l'appelle aussi éponge perforante car elle transperce les gorgones sur lesquelles on la trouve. Citons enfin *Aplysina fulva* qui forme un buisson aux branches enchevêtrées. Toutes ces éponges sont des animaux primitifs sédentaires et immobiles, ce qui les fait souvent confondre avec des plantes, mais la flore est rare ici.

Notre avis

La plongée aux Saintes est idéale pour ceux qui recherchent un endroit pour se détendre et des activités subaquatiques faciles. Un endroit à conseiller pour des vacances en famille dans une ambiance décontractée. Parfait pour oublier le stress des pays industrialisés.

1

1) Impressionnante épave chargée de souvenirs, l'Ancre de miséricorde donne une ambiance très particulière à cette plongée.

2) La richesse des encroûtements d'éponges transforme ce lieu en un univers aux couleurs extraordinaires.

BLUE MARINE : L'Ancre de miséricorde

NIVEAU DE PLONGÉE	★★
QUALITÉ DE LA PLONGÉE	★★★
ASPECT TOURISTIQUE	★★★

Posée sur un récif baigné par des eaux claires et chaudes, une ancre magnifique invite les plongeurs à vivre quelques moments d'Histoire, vestige de plusieurs siècles qui conserve la mémoire des navigateurs héroïques du passé.

Renseignements pratiques

Les plongeurs qui visitent le sud-ouest de la Martinique se contentent souvent de plonger sur le rocher du Diamant. Pour découvrir des sites peu fréquentés dont certains sont enthousiasmants de beauté, il faut rencontrer Dominique Chopard. Remarquable plongeur et excellent guide sous-marin, il connaît à la perfection les moindres recoins des récifs avoisinants.

Le club Blue Marine est installé au Diamant Marine Hotel. Ses 2 bateaux peuvent accueillir 20 à 25 plongeurs pour deux sorties quotidiennes. Des moniteurs d'État et Padi assurent un encadrement sûr et efficace. Chaque midi, une séance de baptêmes de plongée est organisée gratuitement pour les clients de l'hôtel. Une bonne occasion pour s'initier et peut-être déclencher une passion. L'hôtel offre une vue magnifique sur la baie, mais il ne dispose pas de plage en raison d'une forte dénivellation.

Particularités

À dix minutes de bateau de l'hôtel, une tache émeraude contraste sur le bleu intense de la mer. C'est un récif immergé par 15 à 20 m de profondeur. Une sorte de plateau très riche qui remonte des grands fonds alentour. Les poissons y sont peu nombreux, mais c'est un festival de couleurs avec des quantités d'éponges encroûtantes, de tuniciers et mille autres formes d'invertébrés. Les amateurs de macrophoto se régaleront de cette variété infinie. Les plus patients pourront s'approcher des nombreux tout petits poissons qui se dissimulent timidement dans les anfractuosités rocheuses.
Reposant à la fois sur un fond de sable et de rochers, une ancre énorme crée une ambiance particulière. Impossible de ne pas penser aux navigateurs courageux des siècles passés, marins téméraires qui affrontaient les océans avec des moyens rudimentaires. Témoin de ces temps héroïques, cette ancre a sans doute été le dernier espoir d'un bateau en détresse. Ultime recours avant l'échouage lors d'une tempête, *l'Ancre de miséricorde* est aujourd'hui le seul témoin d'un drame du passé. Un moment de frisson qui éveille pendant cette plongée un sentiment de respect et d'émotion. La plongée continue en pente douce, jusqu'à 35 m, avec une variété infinie de grosses éponges et de gorgones. Ensuite, c'est le vertige du grand bleu tombant, impressionnant, vers les abysses.

Notre avis

Nous avons adoré cet endroit, malheureusement, on constate un bouleversement écologique en raison d'une pêche intensive. Des centaines de casiers à poissons et langoustes font des ravages, éliminant progressivement la vie du récif. Les pêcheurs ne font pas de sélection méthodique de leurs prises. Les espèces non consommables sont utilisées comme appâts. Les poissons capturés sont de plus en plus petits, témoins que la nature surexploitée n'a plus le temps de reconstituer ses précieuses réserves. Il serait souhaitable que les autorités prennent conscience de la beauté exceptionnelle de ce site pour, par exemple, le décréter réserve naturelle, à l'image de ce qui a été fait à Pigeon, en Guadeloupe, avec la réserve Cousteau.

2

1) Le Diamant, une formation naturelle célèbre en Martinique.
2) Au cœur d'une anémone, une crevette transparente.
3) La cigale de mer est surtout nocturne.
4) Nichée au cœur d'une éponge, les bras veloutés d'une comatule.
5) Le panache éclatant et fragile d'un spirographe.

LE DIAMANT :
Une plongée en or

NIVEAU DE PLONGÉE	★
QUALITÉ DE LA PLONGÉE	★★★
ASPECT TOURISTIQUE	★★★

Au sud de la Martinique, le rocher du Diamant émerge comme un piton solitaire au cœur de la mer des Caraïbes. Facilement accessible, c'est l'endroit idéal pour se réacclimater à la plongée, après le voyage transatlantique...

Renseignements pratiques

Claude Cavezzale du Sub Diamond Rock est le meilleur spécialiste de l'endroit. Il plonge quotidiennement sur le rocher depuis plus de douze ans. La saison idéale s'étend de décembre à février. Elle correspond à l'été antillais. Mais on peut plonger pratiquement toute l'année. En juillet-août, on risque quelques ondées tropicales, courantes dans cette partie du globe, mais peu gênantes pour l'activité subaquatique. L'eau est à 28° C, la transparence est constamment au rendez-vous.

Il y a de nombreux hôtels à proximité, notamment le Novotel Diamand, le Marine hôtel, le Relais Caraïbes, etc. À la haute saison, il est indispensable de réserver à l'avance, tout est plein au moment des fêtes de fin d'année.

2

Depuis le ponton du Sub Diamond Rock, il faut compter environ 15 minutes de bateau pour accéder sur le site de plongée.

Particularités

C'est une plongée assez facile dont la profondeur varie entre 8 m côté terre (la piscine) et plus de 40 m sur le tombant, côté large. Le courant est en principe sur l'extérieur. Si l'on se concentre autour du rocher, les eaux sont en général très tranquilles. Une immense faille de 5 à 6 m de large sur une dizaine de mètres de haut est entièrement immergée.On peut ainsi traverser de part et d'autre le rocher du Diamant. Il y a toujours un ressac qui permet d'effectuer la promenade sans donner le moindre coup de palme ! La plongée travelling...
Venant du large, quelques tazars et barracudas s'aventurent parfois au voisinage des plongeurs. Mais il faut se rapprocher du rocher pour profiter de la faune la plus variée. On rencontre quelques murènes dans les creux, des langoustes et de nombreux poissons-trompettes. Il faut se rapprocher encore de la paroi pour découvrir toute la richesse de la faune. Les adorables crevettes blanc et rose *(Stenopus hispidus)* vous tendent des pinces menaçantes, puis se déplacent dans un ballet tournant. Les nombreux spongiaires apportent une jolie note colorée à cette plongée. Ils servent d'abri aux crevettes. Dans la partie exposée au large, on rencontre un grand nombre de spirographes. Ils déploient leur panache dans le courant, filtrant les particules dont ils se nourrissent.

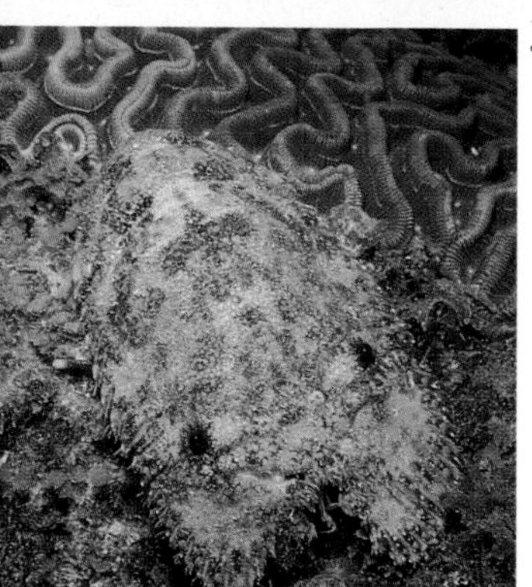

3

4

Notre avis

C'est une plongée à faire obligatoirement lors d'un séjour en Martinique. On peut même y retourner plusieurs fois sans se lasser car le relief est très varié. Contrairement aux idées reçues, la plongée au Diamant est accessible à tous les niveaux. Mais il faut être bien guidé par un habitué des lieux pour tirer le meilleur profit de ces plongées.

5

1) La ville de Saint-Pierre se trouve sous la menace permanente des colères de la montagne Pelée.

2) Le Roraima est une impressionnante épave réservée aux plongeurs très expérimentés. Gare à l'ivresse des profondeurs !

3) Les généreuses concrétions colorées et l'abondance des poissons laissent un souvenir impérissable.

SAINT-PIERRE : Les victimes de la montagne Pelée

NIVEAU DE PLONGÉE	★★★★
QUALITÉ DE LA PLONGÉE	★★★★
ASPECT TOURISTIQUE	★★★★

Le 8 mai 1902, à 8 h du matin, l'éruption volcanique de la montagne Pelée détruisait la ville de Saint-Pierre. 40 navires ancrés dans la rade furent anéantis. Aujourd'hui, seuls les emplacements de 12 épaves sont connus...

Renseignements pratiques

Face à la ville, dans la magnifique baie de Saint-Pierre, les premières épaves le *Dahlia*, le *Diamant* se trouvent à environ 200 m de la plage. Leur emplacement est matérialisé par des bouées en surface. Tous les clubs de plongée de la région : Carib Scuba Club, Tropicasub, Yacht-Club la Galère, Bulle Passion, U.C.P.A., etc. organisent régulièrement des visites aux épaves.
Le découvreur de ces épaves est Michel Metery, actuel directeur du Centre U.C.P.A. de Saint-Pierre. Nul ne connaît mieux que lui ces vestiges sous-marins et leur histoire. La profondeur des sites varie de 15 m le *Raisinier*, à 85 m le *Tamaya*. La plupart des plongées ont lieu entre 30 et 50 m, ce qui nécessite une bonne prépa-

ration au départ et un encadrement de qualité. Il n'y a pratiquement pas de courant à redouter. En revanche, la visibilité est très variable. Mieux vaut effectuer une plongée tôt le matin de manière à être le premier sur les lieux. Le printemps (mars-avril) garantit en général les eaux les plus limpides. Evitez la période estivale qui est parfois gâtée par des dépressions tropicales ou des cyclones.

Particularités

Nous avons plongé sur le *Roraima*, un vapeur mixte qui repose sur un fond sablonneux. C'est une des plus belles épaves de Saint-Pierre. Le haut de l'étrave se trouve à 38 m de profondeur, l'arrière à 52 m. Le bateau est posé droit sur sa quille, mais la coque est coupée en trois morceaux. La cheminée et les mâts sont couchés à bâbord sur le sable. La plongée se fait de préférence dans la partie avant, pratiquement intacte. Les coursives intérieures sont couvertes de corail et de virgulaires blanches, appelées aussi funiculines. Ces octocoralliaires ressemblent à un cordon souple portant des polypes. Cette particularité a séduit le commandant Cousteau qui a baptisé le *Roraima* : «l'épave aux cheveux blancs». Le plongeur est impressionné par l'ambiance particulière de cette épave. Il faut se rappeler que le *Roraima* brûla pendant trois jours en surface avant de rejoindre le monde silencieux des bateaux naufragés.

2

3

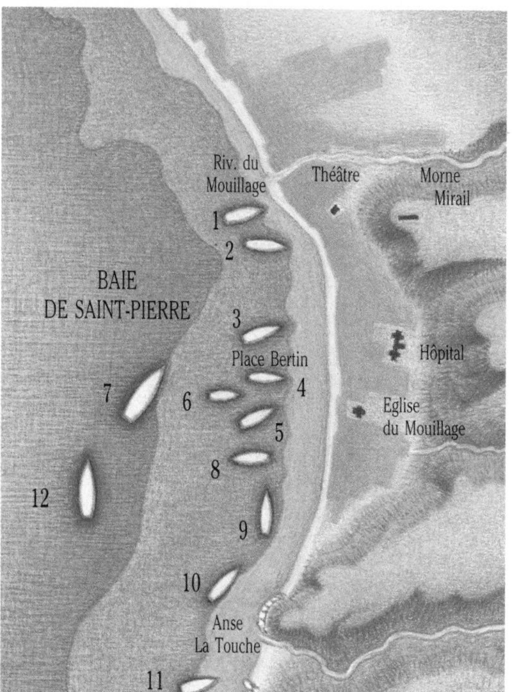

Emplacement et profondeur des épaves dans la baie de Saint-Pierre :

1) Yacht italien treuil avant reposant à –20/40 m.

2) Voilier reposant à –50 m sur pente de sable.

3) La Gabrielle –30 m.

4) Le Dalhia –30 m.

5) Le Diamant –30 m.

6) Barge remorquée par le Diamant –30 m.

7) Le Roraima – 50 m.

8) Voilier disloqué par –35 m.

9) Grand voilier avec treuil à l'avant –30 m.

10) Teresa Lo Vigo –35/40 m de fond.

11) Epave du Raisinier –15 m.

12) Voilier le Tamaya –85 m.

Notre avis

Les épaves de Saint-Pierre sont très impressionnantes, vestiges d'une des plus grandes catastrophes naturelles de notre siècle (30 631 victimes, seulement 2 survivants), elles ont un côté émouvant indéniable. Nous vous conseillons aussi la visite de la *Gabrielle*, un trois-mâts couché par 30 m de profondeur. Vous pouvez également faire coup double avec le *Dahlia* et le *Diamant*. Eloignées de 50 m, ces épaves ont été reliées par un cordage grâce au dévouement des moniteurs de l'U.C.P.A.

1) Une plongeuse approche un groupe d'éponges accroché sur un tombant.

2) La Barbade est une île tropicale agréablement vallonnée.

3) Une éponge encroûtante, Clathria sp. aux jolis reflets d'or.

4) Seule la texture permet de distinguer cette éponge (Diplastrella megastellata) de la roche.

5) Les veines en rayons sont caractéristiques de Raphidophlus venosus.

BELL BUOY REEF :
Les rochers vivants

NIVEAU DE PLONGÉE	★★
QUALITÉ DE LA PLONGÉE	★★
ASPECT TOURISTIQUE	★★

Sur la côte ouest de la Barbade, un récif corallien s'étend sur plus de 25 km de long. C'est le royaume des éponges encroûtantes, êtres primitifs, à la livrée somptueusement colorée...

Renseignements pratiques

La Barbade est un État indépendant rattaché au Commonwealth. On dirait un petit coin d'Angleterre baigné par un climat tropical. Très vallonnée, l'île est propice à la culture de la canne à sucre. Elle recèle des paysages vraiment magnifiques et de somptueux jardins.

La plongée est très bien développée sur l'île, très active sur le plan touristique. Toutefois, la pêche étant pratiquée jusqu'à l'excès, on rencontre assez peu de poissons. Il faut apprécier l'étrangeté des invertébrés ou le mystère des épaves pour aimer la plongée à la Barbade. On plonge essentiellement sur la côte ouest, baignée par la mer des Caraïbes. À l'est, l'océan Atlantique est un peu trop rugueux pour satisfaire les plongeurs. Il est autorisé de remonter des fragments

d'épaves à titre de souvenir, mais interdiction de toucher au corail.
Il existe de nombreux hôtels à la Barbade. Pour la plongée, vous pouvez choisir Dive Boat Safari, à l'hôtel Hilton, Underwater Barbados au Southwind Beach Hotel ou Willie's Water Sports au Paradise Beach Club.

Particularités

Les récifs frangeants qui soulignent toute la côte ouest de la Barbade s'élèvent sur des fonds de 15 à 30 m. Le climat garantit de l'eau claire une grande partie de l'année. Les courants sont peu violents, surtout dans la partie protégée par les grandes baies. La plongée est facile car les récifs sont parallèles à la côte.
Assez déçus par la quasi-absence de poissons, nous avons «cherché la petite bête» et découvert des formes très intéressantes d'éponges encroûtantes. Il s'agit d'espèces au squelette siliceux, et non calcaire, comme on le croit souvent à tort. La forme de chaque sujet dépend de son support. Le diamètre peut atteindre plusieurs mètres. Ces éponges présentent des coloris éclatants, surtout quand elles vivent à faible profondeur. *Agelas clathrodes* est une des espèces les plus communes. On l'appelle ici «oreille d'éléphant» en raison de son aspect massif. La couleur orange est caractéristique, le diamètre peut atteindre 2 m. Plus modeste, mais très colorée, *Diplastrella megastellata* est d'un magnifique rouge vif. On la trouve plutôt dans les recoins rocheux car elle apprécie l'ombre. Dans les mêmes zones peu éclairées, vous rencontrerez certainement *Spirastrella coccinea* reconnaissable à sa couleur rose.

Notre avis

La Barbade n'est pas une destination à conseiller spécifiquement pour la plongée. Mais c'est un bon compromis entre le tourisme, les activités nautiques et la détente. Vous serez séduit par le côté moderne, mais très Caraïbes de cette île où les gens sont d'une rare courtoisie.

2

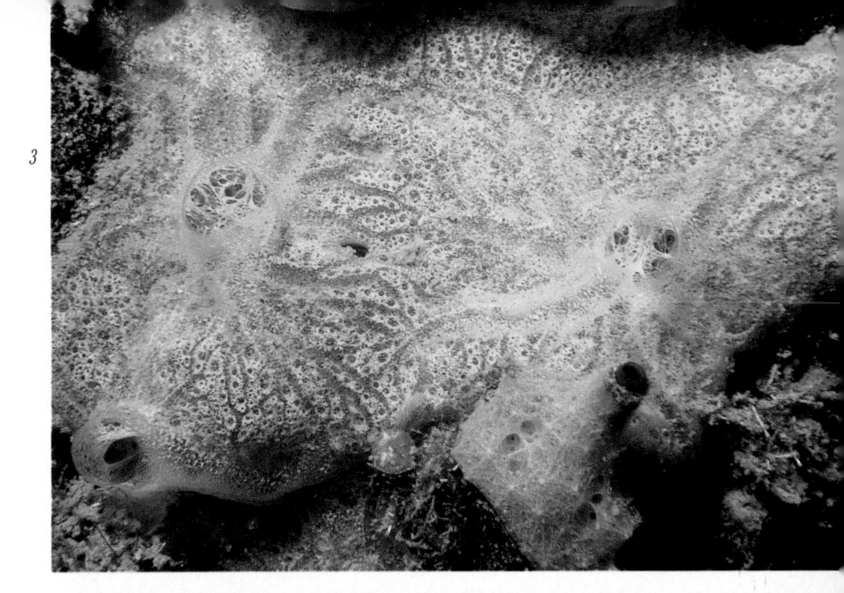
3

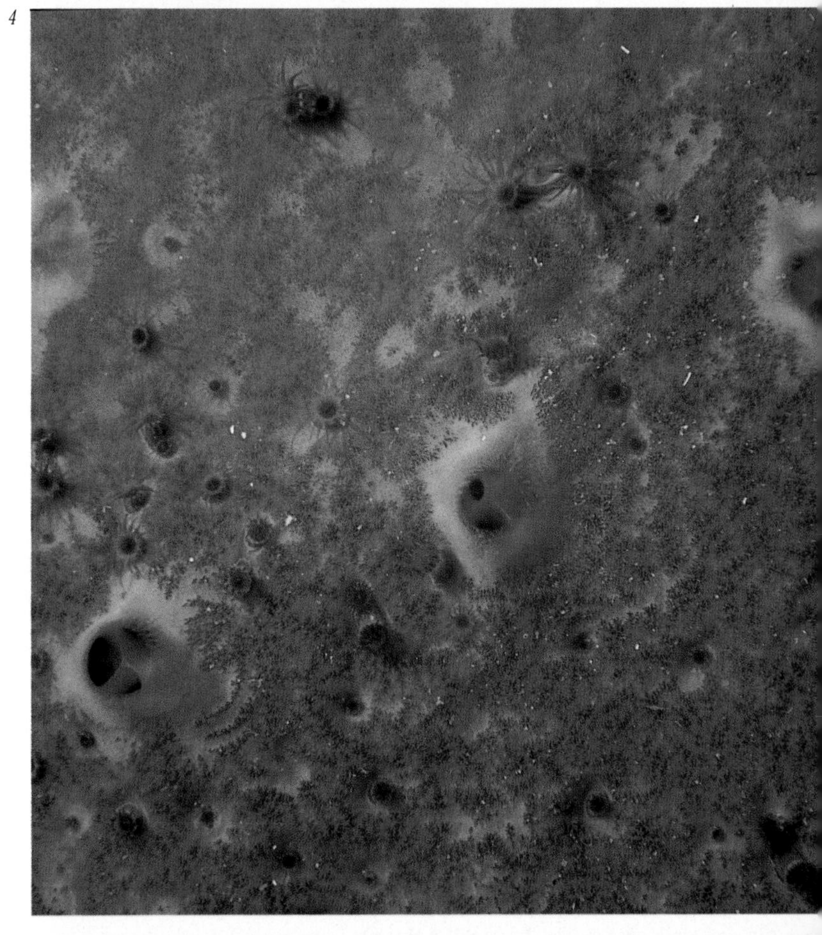
4

5

SUD CARAÏBES

SUD CARAÏBES

Tout proche du continent sud-américain, le sud des Caraïbes est relativement peu connu des plongeurs européens. Les îles de cette région bordent toute la côte du Venezuela, un pays délicieux et d'une rare richesse écologique. Cet État, en partie dévoré par la forêt amazonienne, possède aussi quelques terres perdues au milieu de la mer des Antilles. La plongée y atteint un niveau de qualité exceptionnel car on y croise les grandes espèces pélagiques venant du large.
Trinité-et-Tobago seront notre première halte dans cette partie des Caraïbes. Ce petit pays est un grand producteur de pétrole et il s'industrialise beaucoup. Les plongeurs préféreront se réfugier sur la petite île de Tobago, beaucoup plus sauvage. Bonaire, Curaçao et Aruba font toutes les trois partie des Antilles néerlandaises. Ce sont des «must» de la plongée aux Caraïbes, en raison de la richesse et la variété exceptionnelles de leurs récifs, la plupart d'un accès très facile. Toutes les îles du sud des Caraïbes sont bercées par les doux alizés. Elles accueillent les visiteurs dans une ambiance de détente et de joie de vivre qui séduit dès la première visite. Leur seul défaut est un relatif éloignement et l'obligation d'utiliser l'avion pour effectuer un séjour inter-îles. Un voyage découverte qui vous ravira si vous appréciez un dépaysement total avec l'impression de sortir des sentiers battus.

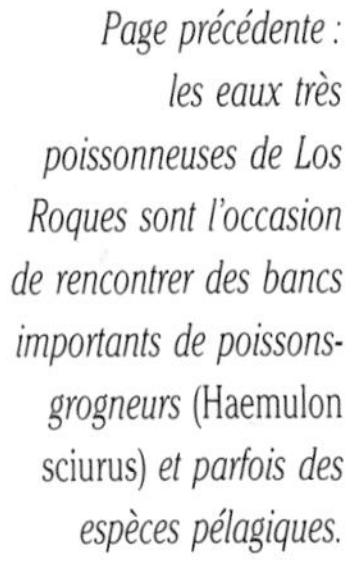

Page précédente : les eaux très poissonneuses de Los Roques sont l'occasion de rencontrer des bancs importants de poissons-grogneurs (Haemulon sciurus) *et parfois des espèces pélagiques.*

Page de droite : à Tobago, une raie-pastenague (Dasyatis americana) *s'envole devant un plongeur. Ce poisson est très commun sur les fonds de sable.*

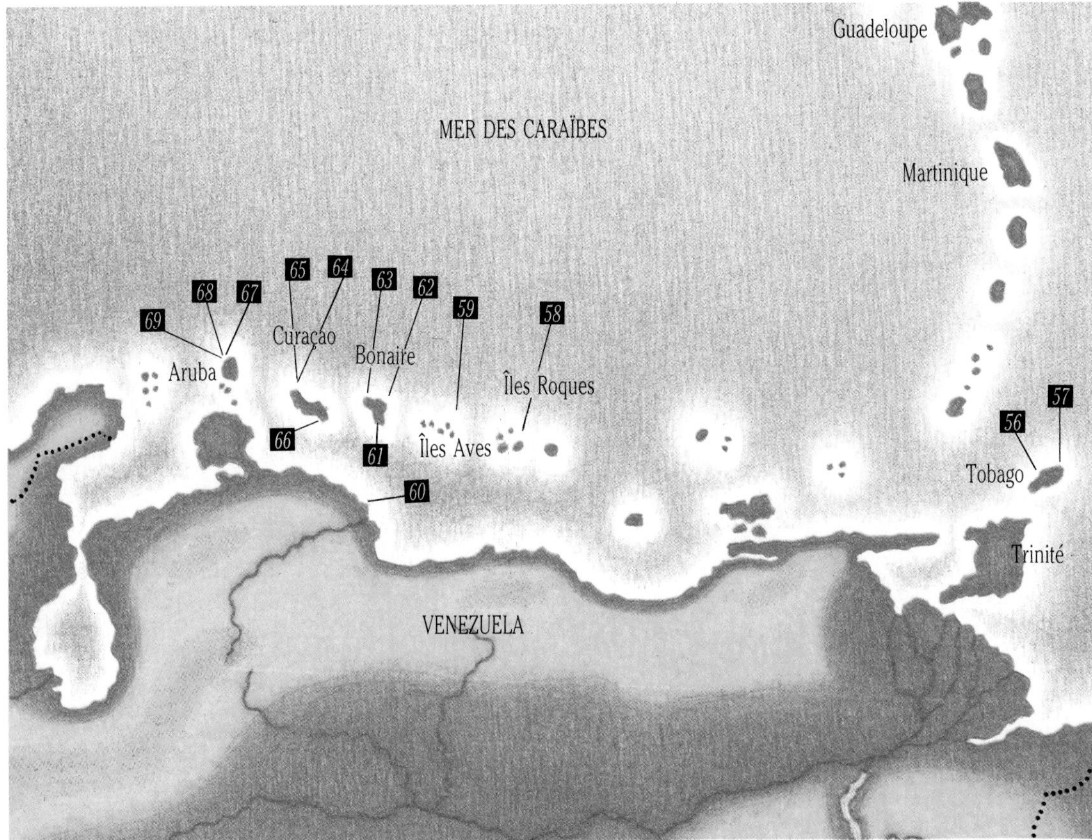

56 Angel Reef
57 Black Forest
58 Los Roques
59 Las Aves
60 Cayo Sombrero
61 Forest Reef
62 Ebo's Reef
63 Diana's Leap
64 Mushroom Forest
65 Sandy's Plateau
66 Piedra Pretu
67 Kantil Reef
68 Golden Island
69 Skalahein Reef

1

1) Les carangues à œil de cheval (Caranx latus) *se caractérisent par leur queue jaune. Elles nagent en bancs compacts.*

2) Les plages de Trinité-et-Tobago ont un aspect sauvage et une jolie végétation de cocotiers.

3) Nous avons rencontré dans ces eaux des bancs énormes de carangues qui forment une spirale autour du plongeur.

ANGEL REEF :
La samba des carangues

NIVEAU DE PLONGÉE	★★★
QUALITÉ DE LA PLONGÉE	★★★
ASPECT TOURISTIQUE	★★

Dans une eau cristalline où la visibilité dépasse 35 m, des bancs énormes de carangues viennent se régaler des petits poissons attirés par l'abondance du plancton. Une plongée grande vitesse qui vous donne le tournis...

Renseignements pratiques

Découverte en 1498 par Christophe Colomb, Tobago a longtemps été disputée par la France et l'Angleterre. Depuis 1898, elle est rattachée à la Trinité. Elle forme avec cette autre île un État membre du Commonwealth depuis 1962. Située à 35 km au nord-est de la Trinité (Trinidad), Tobago n'héberge que 4% de la population du pays. Magnifique île tropicale, elle est renommée pour avoir inspiré Daniel Defoe dans son roman *Robinson Crusoé*.
Tobago sera très appréciée par les amoureux de la nature car la faune et la flore y sont très riches, surtout dans la partie nord-est à Speyside. Trois importants centres de plongée se partagent l'activité sur l'île. Il s'agit de Dive Tobago Ltd à Scarborough, Scuba Sports Limited à

Plymouth et Tobago Scuba Limited à Charlotteville. La proximité de l'embouchure de l'Orénoque (un affluent de l'Amazone) entraîne un mélange d'eau douce dans l'environnement marin proche de Tobago. Il en résulte une richesse inhabituelle en plancton qui attire à profusion la faune pélagique.

Particularités

Angel Reef est un site de plongée extraordinaire car l'eau est calme et limpide. Ce lieu doit son nom à la présence en grand nombre de poissons-anges. Mais nous avons surtout été subjugués par l'abondance de carangues. Il faut, bien sûr, s'éloigner un peu de l'abri rassurant du récif pour rencontrer les grands poissons du large. Une fois dans le bleu, mais par moins de 10 m de fond, un tourbillon de carangues semble sortir de nulle part. Il s'agit de l'espèce à queue jaune *(Caranx latus)* qui mesure 30 à 60 cm de longueur. Ces poissons carnassiers se déplacent en bancs compacts. Ils nagent lentement, mais la présence des plongeurs semble les rendre nerveux. Très vite, la nage se fait plus rapide, voire brutale. Il faut rester très calme, retenir ses bulles et réduire ses mouvements pour avoir la chance de pénétrer dans le banc. C'est alors un spectacle inouï, les poissons en livrée d'argent créant une spirale qui vous entraîne à votre tour dans une spirale délirante. Angel Reef se trouve juste à côte du «jardin japonais», un autre site de plongée très prisé de Tobago. Il s'agit d'un récif en cascade qui descend jusqu'à 27 m de profondeur. Riche de coraux et de petits poissons, c'est un lieu haut en couleur, où l'on rencontre parfois des tortues ou même des raies-mantas.

Notre avis

Ignorée des plongeurs européens, Tobago est une île très appréciée pour son charme tropical et sa plongée à grand spectacle. On est sûr d'y découvrir du gros. Mais, comme toujours en pareil cas, il y a souvent de forts courants.

3

2

1

2

1) La raie-pastenague (Dasyatis americana) *peut dépasser 1,50 m d'envergure.*

2) Avec mille précautions, il est possible d'approcher une pastenague ensablée, jusqu'à la toucher.

3) La raie-torpille n'est pas très bonne nageuse, mais gare à sa caresse électrique douloureuse !

4) Assez rare, la raie-guitare (Rhinobatos sp) *se rencontre surtout la nuit.*

5) Munie d'un dard épineux à la base de la queue, la raie-pastenague est assez impressionnante.

BLACK FOREST :
Le royaume des raies

NIVEAU DE PLONGÉE	★★★
QUALITÉ DE LA PLONGÉE	★★★
ASPECT TOURISTIQUE	★★

Entre des arbres de corail de plusieurs mètres de hauteur, serpentent des bandes de sable d'un blanc immaculé. Elles sont le domaine privilégié de nombreuses espèces de raies qui s'envolent majestueusement à l'approche du plongeur...

Renseignements pratiques

La meilleure époque pour plonger à la Trinité est comprise entre décembre et juin. La température de l'eau varie de 23 à 26°C en moyenne. Certains jours d'été, l'eau manque de clarté. Mais d'une manière générale, on compte une vingtaine de mètres de visibilité.

La Trinité, plus souvent appelée Trinidad, accueille 96 % des habitants du pays. Elle est pratiquement le prolongement du Venezuela, la capitale Port of Spain étant éloignée de seulement 30 km du continent sud-américain.

Très accidentée, l'île est une succession de collines verdoyantes en raison de l'importance des pluies. C'est sur l'ouest de l'île que l'on peut bénéficier d'une période sèche entre janvier et mai. La Trinité exploite des quantités importan-

tes de pétrole, ce qui a permis de faire évoluer très sensiblement le niveau de vie du pays. C'est l'île sœur de Tobago qui accueille la plupart des touristes. Elle bénéficie d'un environnement plus protégé avec de jolies plages bordées de cocotiers.
La compagnie BWIA relie Port of Spain à Tobago en vingt minutes environ. Dive Tobago Ltd est installé à l'hôtel Sandy Point Beach Club. Les plongées les plus calmes sont réalisées sur la côte nord, le sud étant secoué par les vagues violentes de l'Atlantique.

Particularités

Black Forest est un grand récif s'étendant au milieu du chenal séparant Little Tobago et Goat Island. Ces deux petites îles se trouvent à l'extrémité nord de Tobago. C'est un des plus beaux sites de plongée de la région, mais les forts courants en limitent l'accès aux plongeurs expérimentés et aux bons nageurs. La pente descend à 45° jusqu'à 35 m environ. Elle est parsemée de blocs coralliens assez étroits, mais ramifiés qui donnent l'impression d'arbres de pierre. La rencontre avec du gros est fréquente dans le courant. Quand l'eau est plus calme, on est certain de découvrir quelques raies à demi camouflées dans le sable.
L'espèce la plus répandue est la pastenague *(Dasyatis americana)*. Cette grande raie grise peut dépasser 1,50 m de diamètre. Elle est facile à approcher, à condition de nager lentement, sans toucher le sol. Plus rare et très étrange par sa forme, la raie-guitare *(Rhinobatos lentiginosus)* se rencontre surtout dans les parties peu profondes. Dans cette région, elle ne dépasse pas 60 cm de long. Méfiez-vous des raies au corps arrondi. Il s'agit le plus souvent des torpilles *(Torpedo marmorata)* qui émettent un violent courant électrique dès qu'on les touche.

Notre avis

En dépit de courants souvent violents, Tobago offre des plongées fort agréables. Il est fréquent d'y rencontrer la grande faune du large et notamment des raies-mantas qui trouvent dans les passes agitées tout le plancton nécessaire pour satisfaire leur énorme appétit.

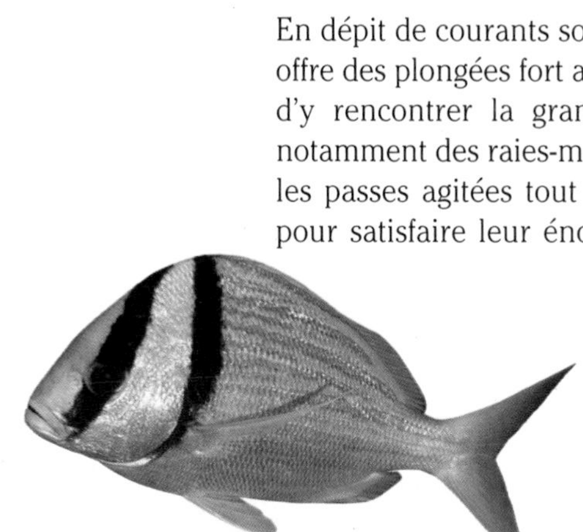

3

4

5

1

1) Des bancs compacts de chirurgiens bleus (Acanthurus cœruleus) *virevoltent dans les eaux de Los Roques.*

2) Caractéristiques du village de pêcheurs, les petites barques en bois sont de fabrication artisanale.

3) La forme adolescente du chirurgien bleu présente de fines striures longitudinales.

LOS ROQUES :
Le séminaire des chirurgiens

NIVEAU DE PLONGÉE	★★
QUALITÉ DE LA PLONGÉE	★★★
ASPECT TOURISTIQUE	★★

Sanctuaire de nature entièrement protégé, le petit archipel des Roques offre un dépaysement total. Les eaux fourmillent de poissons colorés, notamment de très importants bancs de chirurgiens bleus et noirs.

Renseignements pratiques

Reliées à partir de Caracas par des compagnies aériennes privées, les îles Roques ressemblent à des pierres plates posées sur la mer des Caraïbes. Il faut compter cinquante minutes de vol dans un avion à hélice d'une quinzaine de places pour atteindre l'île principale, Los Roques. C'est la seule à être habitée et à présenter un relief plus tourmenté. Une centaine de familles vivent uniquement de la pêche traditionnelle. Un petit centre de plongée, tenu par des Vénézuéliens, accueille les rares privilégiés qui viennent en touristes. Un hôtel modeste et sans nom satisfait aux besoins d'hébergement des plongeurs. De grandes barques de pêche sont utilisées pour se rendre sur les sites de plongée. Comptez une demi-heure de navigation pour atteindre les tombants. Ce sont les seuls endroits intéressants car l'intérieur du lagon aux eaux claires est désespérément vide à force d'avoir été pêché. La plongée organisée est encore à ses balbutiements sur Los Roques, mais il est prévu prochainement d'utiliser un bateau plus puissant pour des sorties d'une journée. Cela permettra l'exploration plus complète du grand récif de 25 km de large. Un bateau de plongée américain croise aussi régulièrement autour des îles. Venant de Bonaire, il fait visiter des lieux pour la plupart, encore vierges.

2

Particularités

Hormis la présence des moteurs sur les bateaux, on a l'impression d'être transporté un siècle en arrière. Il n'y a pas d'infrastructure. Le petit village est très modeste.
Une barrière frangeante se découpe en récifs complexes. À l'extérieur, de grands tombants s'enfoncent dans l'infini du grand bleu. La plongée se déroule en partie sur le platier et au bord de la falaise sous-marine. À cet endroit, il est fréquent de voir remonter du fond de très grosses loches curieuses et d'impressionnants barracudas. Dans les eaux claires et très oxygénées du récif, d'importants bancs de poissons se laissent bercer au gré du ressac.
Par centaines, des chirurgiens bleus *(Acanthurus cœruleus)* semblent se réunir dans un séminaire très animé. Ces poissons doivent leur nom à l'épine blanche ou jaune qu'ils possèdent à la base de la queue. Très acérée, elle coupe comme un bistouri. Chaque banc semble conduit par un meneur de ballet sur lequel tous les autres poissons du groupe calquent leur comportement. Il suffit qu'il commence à picorer un morceau de corail pour que toute la meute se précipite dessus dans un même ensemble.
Seuls les adultes sont réunis en groupes. Les juvéniles ou les formes intermédiaires sont solitaires. Les plus jeunes sont entièrement jaunes. Les adolescents conservent la queue jaune, leur robe est bleue, veinée de jaune.

Notre avis

Les amoureux de la nature et de l'isolement seront comblés à Los Roques. La plongée est riche, mais il y a aussi beaucoup à voir sur l'île principale. Des colonies d'oiseaux (pélicans, frégates, cormorans etc.) vivent sans la moindre crainte de l'homme. La partie ouest, accessible seulement par bateau, est une importante réserve naturelle de malachite. Le soir, la roche, ponctuée par quelques maigres cactus, prend des teintes vertes inattendues.

3

1

1) Posés sur le fond, comme s'ils se reposaient, les requins-dormeurs ne sont pas aussi inoffensifs qu'on veut bien le dire.

2) Quand il est dérangé, le requin-dormeur est capable de se déplacer à une vitesse foudroyante.

3) Le requin-nourrice (Ginglymostoma cirratum) *se reconnaît à ses barbillons blancs.*

4) Îles à la végétation un peu désolée, Las Aves sont beaucoup plus généreuses sous l'eau.

LAS AVES :
La sieste des requins

NIVEAU DE PLONGÉE	★★★
QUALITÉ DE LA PLONGÉE	★★★
ASPECT TOURISTIQUE	★

Dans un archipel perdu au large de Caracas, la grande faune pélagique s'est donnée rendez-vous. Dissimulés dans des grottes de corail, de nombreux requins-nourrices se laissent bercer au gré du courant. Une rencontre toujours palpitante...

Renseignements pratiques

À quelques milles de Los Roques, l'archipel des Aves appartient aussi au Venezuela. On l'appelle également Bird Island car c'est un grand centre de nidification des oiseaux de mer. Ces îles, inhospitalières pour l'homme, sont seulement visitées par de rares bateaux de croisière. Cela garantit une plongée riche en surprises et la rencontre avec une faune terrestre peu farouche. Du fait de leur isolement et de la bonne profondeur des fonds, Las Aves permettent la rencontre avec les grands poissons du large (énormes barracudas, bancs de carangues et de thons, requins, etc.).
Il n'y a pas de plongée organisée vers Las Aves à partir du Venezuela. En revanche, un bateau américain réalise un safari-plongée, reliant Mar-

garita, Las Aves et Los Roques. Cette épopée d'une semaine, tout confort, prend souvent l'aspect d'une aventure, en raison des lieux quasi inexplorés que vous pouvez visiter. La période d'avril à juillet est la plus favorable pour bénéficier d'une mer calme.

Particularités

Baignées par les grands courants marins du large, Las Aves sont propices à la rencontre du «gros». Il faut s'éloigner des tombants et s'aventurer dans le bleu pour oser ces rencontres palpitantes. Moins pêchées que Los Roques, Las Aves offrent une plus grande richesse en poissons. Ces derniers sont peu farouches, ce qui ravira les photographes.

2

Ces îles étant peu abritées et plates, elles subissent les assauts des vents et de la marée. Le mouillage n'est pas de tout repos et il faut être bien amariné pour supporter le tangage et le roulis du bateau. Cela nous incite à conseiller ces plongées uniquement aux chevronnés.
Nous avons rencontré de nombreux requins-dormeurs. Appelés aussi requins-nourrices *(Ginglymostoma cirratum)*, ils passent leur temps posés sur un rocher, la tête enfouie dans une anfractuosité ou une roche. On reconnaît cette espèce aux deux barbes présentes sur la

3

lèvre supérieure et aux deux nageoires dorsales d'égale grosseur. Pouvant dépasser 3 m de long, les requins-dormeurs sont souvent considérés à tort comme inoffensifs. Ils ne sont pas agressifs mais, s'ils sont dérangés, il n'hésiteront pas à mordre cruellement l'agresseur. Leurs dents arrondies sont destinées à broyer les crustacés dont ils se nourrissent. Elles peuvent provoquer des blessures très importantes.

Notre avis

C'est une plongée assez exceptionnelle par la rareté du site et les possibilités de rencontres avec le gros.
Il faut souhaiter que ces îles, d'accès difficile, conserveront le plus longtemps possible leur virginité. Il serait, en effet, vraiment dommage que la générosité des eaux attire trop de pêcheurs et transforme cet éden en un pâle jardin de gorgones et de cailloux comme il y en a tant aujourd'hui aux Caraïbes.

4

1

1) Le corail corne-d'élan (Acropora palmata) *se caractérise par sa grande solidité. Il résiste bien au ressac.*

2) Ce grand buisson de gorgone Plexaura sp. *est caractéristique du paysage sous-marin de la réserve de Morrocoy.*

3) Délicat et très fragile, le corail corne-de-cerf (Acropora cervicornis) *est une des espèces à la croissance la plus rapide.*

4) Des coraux (Acropora palmata) *qui donnent l'impression d'une dentelle de pierre.*

CAYO SOMBRERO :
Le corail vivant

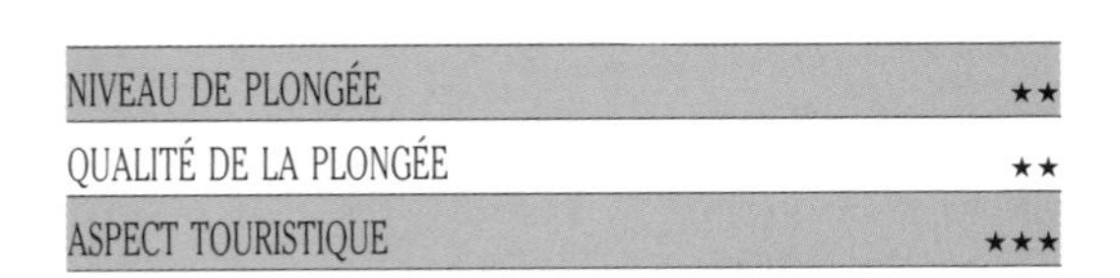

NIVEAU DE PLONGÉE	★★
QUALITÉ DE LA PLONGÉE	★★
ASPECT TOURISTIQUE	★★★

Site naturel entièrement protégé, les îles Morrocoy associent un parc marin et une réserve d'oiseaux. Dans un paysage de mangroves, un récif corallien de toute beauté semble renaître autour des îles tropicales inexplorées...

Renseignements pratiques

À quatre heures de route à l'ouest de Caracas, entre les deux petits villages de Chichiriviche et Tucacas, la magnifique réserve naturelle de Morrocoy est un sanctuaire pour les oiseaux et un paradis pour les plongeurs. Ses 32 000 hectares d'eaux cristallines sont entièrement protégés. Elles baignent d'adorables petites îles inhabitées, bordées de plages immaculées. La mangrove héberge quelques marinas cachées dans la végétation. Depuis peu, la plongée se développe dans ces eaux.
À une heure de route, un centre Padi s'est installé dans la grande ville de Valencia ; il organise des sorties journalières vers Morrocoy. L'infrastructure n'est pas encore bien développée. Quelques petits hôtels dans les villages

2

3

4

avoisinants accueilleront avec chaleur les visiteurs les plus aventureux.

Il est probable que, d'ici quelques années, le site de Morrocoy gagnera une renommée internationale. Espérons que les perspectives de développement ne viendront pas entraver cette nature merveilleuse encore intacte.

Particularités

Le bateau s'échoue sur les plages de sable et les plongeurs s'équipent directement dans l'eau dans le meilleur confort. Quelques coups de palmes suffisent pour s'immerger dans un aquarium magnifique où les coraux abondent. Ces endroits, encore peu visités, permettent d'observer les formations coralliennes dans toute leur perfection. Le plongeur se laisse glisser doucement jusqu'à une vingtaine de mètres de profondeur, entouré des longues branches fragiles du corail corne-de-cerf *(Acropora cervicornis)*. En pénétrant ce labyrinthe, on rencontre ici et là d'imposantes formations de corail corne-d'élan *(Acropora palmata)*. Plus massive et solide, cette espèce donne l'impression d'une dentelle de pierre.

Les petits fonds, d'une clarté incroyable, sont aussi l'occasion de rencontrer des gorgones arbustives comme *Pseudopterogorgia americana*. Gluant au toucher, ce cœlentéré est très ramifié. Assez voisine, la famille des Plexauridés est très bien représentée *(Eunicea, Eunicella, Plexaurella)*. On la reconnaît à la forme dichotomique des rameaux. Les polypes sont très souvent épanouis en pleine journée.

On est charmé par la diversité du récif et sa générosité. En revanche, les amateurs de poissons seront déçus. Pour des raisons inexpliquées, les petits fonds semblent désertés. En revanche, après avoir franchi le jardin d'*Acropora*, on rencontre des bancs furtifs de chirurgiens, de carangues et de barracudas sur les tombants.

Notre avis

Si la plongée cause un choc par sa pureté et les couleurs du récif, l'impression la plus forte est celle des oiseaux innombrables rassemblés le soir en colonies turbulentes sur les touffes de palétuviers. On y rencontre notamment des ibis rouges qui habillent d'écarlate les buissons. Au soleil couchant, un vol de flamants roses est un spectacle inoubliable. Un sanctuaire d'une précieuse rareté qui, espérons-le, saura être conservé dans toute sa richesse.

1

1) La reine des anges (Holacanthus cilaris) *est un des plus beaux poissons des Caraïbes.*

2) Souple et gracieux, le poisson-ange royal est assez commun. Curieux et craintif à la fois, il est amusant à observer.

3) Extraordinairement coloré, Holacanthus cilaris, *est un élément chatoyant des récifs.*

4) Moins courant, le poisson-ange tricolore (Holacanthus tricolor) *a une robe bien contrastée noir et jaune.*

FOREST REEF :

La reine des anges

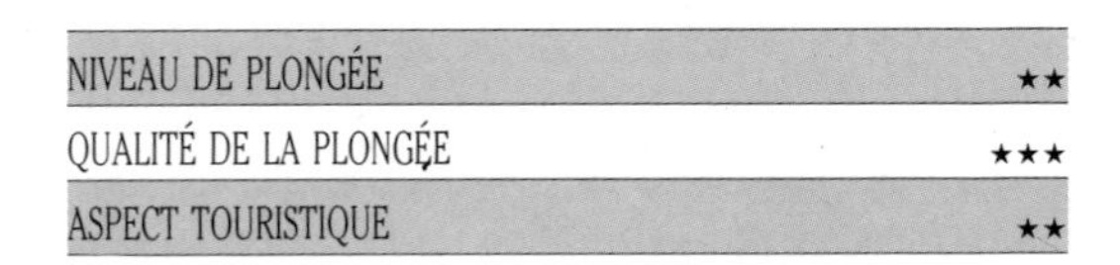

NIVEAU DE PLONGÉE	★★
QUALITÉ DE LA PLONGÉE	★★★
ASPECT TOURISTIQUE	★★

À la pointe sud-ouest de la petite Bonaire, un récif aux couleurs incroyables abrite une variété infinie de poissons. Gracieux et chatoyant, le plus éclatant d'entre eux porte le nom évocateur de «reine des anges».

Renseignements pratiques

Klein Bonaire, la Petite Bonaire est une île aride à la pauvre végétation de cactus. Habitée d'oiseaux et d'iguanes elle semble peu accueillante. En revanche, elle abrite des fonds magnifiques où se concentre une bonne partie de l'activité subaquatique de l'île. Les plus importants centres de l'île se trouvent à moins de vingt minutes de navigation. Cette île étant toujours abritée, elle permet la plongée 365 jours par an, par tous les temps.
Parmi les nombreux centres de plongée de Bonaire, nous avons choisi le Carib Inn Dive pour nous accompagner. Il possède 2 bateaux pouvant accueillir dans le meilleur confort une quinzaine de plongeurs chacun. Suivant les endroits choisis pour la plongée, on a

le droit à une ou deux bouteilles par sortie. Les amateurs de faune sauvage, et surtout d'oiseaux, apprécieront la visite de Bonaire. Elle abrite deux sanctuaires naturels qui protègent les flamants roses, l'un au nord, l'autre au sud. Ne manquez pas la visite du Washington National Park où l'on peut observer quelques-unes des 126 espèces d'oiseaux recensées à Bonaire et notamment des perroquets.

Particularités

Récif descendant en pente douce de 3 à 30 m, Forest Reef est impressionnant par la densité de poissons qu'il renferme. On y trouve murènes, poissons-coffres, perroquets et même raies-pastenagues. Les amateurs de macrophoto apprécieront la foule de crevettes et de corail noir. Mais les grandes vedettes des lieux sont les poissons-anges. Habillée d'or et d'azur, la «reine des anges» *(Holacanthus cilaris)* est le poisson emblème des Caraïbes. Il n'a pas usurpé son nom et son titre, étant à coup sûr la plus belle espèce de ces lieux. Poisson assez craintif, mais parfois curieux, il n'est pas toujours facile à approcher. Il faut s'arrêter à distance avant qu'il accepte de venir virevolter à un mètre environ de votre masque dans une parade haute en couleurs. Autre poisson-ange très fréquent dans ces lieux, la «beauté des rochers» *(Holacanthus tricolor)* se caractérise par sa livrée noir et or. C'est un poisson très territorial. Les poissons-anges se nourrissent surtout d'éponges, mais aussi de petits crustacés et d'ascidies.

3

2

4

Notre avis

Bonaire a su protéger la nature avec ses réserves d'oiseaux. En revanche, la pêche aux conques (lambis) est très active, au point de menacer l'espèce. À Lac, dans le sud-est de l'île, on peut observer d'énormes monticules incongrus. Ils sont constitués par un empilement de milliers de coquilles vides, tristes témoins de l'exploitation inconsidérée des océans.

1

1) Toujours souriants, les enfants créoles de Bonaire accueillent gentiment le visiteur.

2) Un corail corne-de-cerf est complètement couvert des polypes d'or de Tubastræa aurea.

3) Les petits polypes de Tubastræa aurea *ressemblent beaucoup à de minuscules anémones.*

EBO'S REEF :

Les coraux en parure d'or

NIVEAU DE PLONGÉE	★
QUALITÉ DE LA PLONGÉE	★★★
ASPECT TOURISTIQUE	★★

Dans un petit jardin de corail peu profond, de grandes cornes d'élan s'habillent d'espèces plus petites à la couleur éclatante. Ces colonies de polypes aux mille bras animent cet univers vivant à l'aspect minéral...

Renseignements pratiques

On rejoint Bonaire depuis Miami ou Caracas par les vols des compagnies ALM et Aéropostale. Cette dernière est la plus ancienne société d'aviation commerciale ayant assuré des liaisons transatlantiques. Des noms célèbres comme Mermoz et Saint-Exupéry lui ont donné ses lettres de noblesse. Aéropostale a été rachetée à la France par le gouvernement vénézuélien. Tous les avions sont équipés de sièges première classe, même en classe économique !
Les tempêtes tropicales n'atteignent jamais Bonaire située sous la ceinture des ouragans. La meilleure saison pour une visite s'étend d'avril à juillet. Les vents sont faibles toute l'année, favorisant une plongée dans les meilleures conditions de confort.

2

Maison d'hôte des plongeurs, Habitat a été fondée en 1976 par le précurseur de la plongée à Bonaire : le Captain Don Stewart. C'est un endroit plein de personnalité, disposant d'un centre de plongée moderne. La boutique ne ferme jamais, vous pouvez plonger 24 heures sur 24 si le cœur vous en dit ! Il y a un magnifique récif de corail à 30 m seulement du quai. C'est idéal pour l'initiation et la plongée de nuit. Le forfait hébergement et plongée comprend un nombre illimité de remplissage des bouteilles. On peut passer sa vie dans l'eau. L'idéal pour les «fous d'air».

Particularités

Situé sur la face nord-est de Klein Bonaire, Ebo's Reef est un des coins préférés des moniteurs d'Habitat. C'est un récif descendant doucement de 5 à 30 m. Il commence par un véritable jardin de corail juste sous la surface. Peuplé de grandes cornes d'élan *(Acropora palmata)*, c'est l'endroit rêvé pour le «snorkeling». Nous avons découvert un commensalisme étonnant sur ces coraux. Une autre espèce coloniale *(Tubastrœa aurea)* s'est installée à la face inférieure des grandes branches de calcaire. Coraux mous orangés, les *Tubastrœa* renferment un gros polype jaune d'or dans chaque petit monticule. Il épanouit ses tentacules translucides durant la nuit ou lorsque le soleil est filtré par les nuages. La base de la colonie est encroûtante.
D'ordinaire, ces coraux se rencontrent dans les parties sombres des tombants ou sur les parois des grottes. Il est assez étonnant de les voir en si grand nombre ici dans de l'eau claire et lumineuse. Notez que cette espèce occupe une aire géographique très importante puisqu'on la rencontre aussi dans la zone Indo-Pacifique.

3

Notre avis

Nous avons beaucoup aimé la plongée à Bonaire en raison de ses eaux claires et calmes. L'île dégage un charme particulier. Les gens sont accueillants et souriants.
C'est une destination touristique à promouvoir en Europe car tous les amoureux de la mer et de la nature y trouveront de quoi passer des séjours inoubliables, que ce soit dans un hôtel de luxe ou une modeste pension de famille.

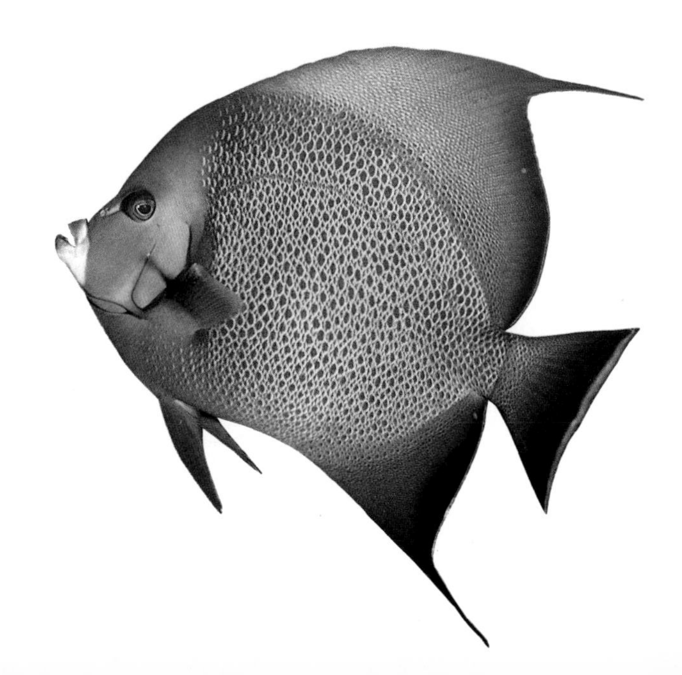

1

1) Animal mimétique, le poisson-crapaud (Antennarius) *chasse à l'affût, posé sur un rocher dont il épouse la couleur.*

2) Antennarius multiocellatus *se caractérise par sa couleur jaune citron. C'est l'espèce la plus commune des Caraïbes.*

*3) Il est rare d'apprécier la nage un peu pataude de l'*Antennarius. *Il ne se déplace qu'après avoir été dérangé.*

DANIA'S LEAP :

Cache-cache avec les crapauds

NIVEAU DE PLONGÉE	★★
QUALITÉ DE LA PLONGÉE	★★★
ASPECT TOURISTIQUE	★★

Dans un récif impressionnant à la structure tortueuse et magnifique, se cachent les timides poissons-crapauds au mimétisme parfait. Seul un œil averti peut déceler leur présence car ils se fondent dans l'environnement...

Renseignements pratiques

Bonaire est un grand centre touristique avec une infrastructure hôtelière très développée. On recense une dizaine de centres de plongée professionnels. Le plus important et le mieux équipé est sans nul doute le Dive Bonaire. Il fait partie de la compagnie Peter Hughes Diving. Il s'agit d'une société importante possédant neuf bases disséminées dans les Caraïbes, ainsi que des bateaux de croisière pour la plongée. Installée dans le Dive Flamingo Beach Hotel, à quelques minutes de Kralendijk, la capitale, cette base de plongée possède 3 bateaux ce qui porte sa capacité d'accueil à une quarantaine de plongeurs. L'endroit est fort agréable avec une belle plage de sable blanc et un restaurant sur pilotis, donnant l'impression de dîner les pieds dans

2

l'eau. Les sorties sont quotidiennes sur les quelque 50 sites recensés à proximité. Un programme précis des sorties a été réalisé, de manière à ce que chaque centre puisse explorer à son tour les meilleurs endroits. Les principaux sites sont balisés afin d'éviter la destruction du corail par les ancres.

Particularités

Situé à proximité du Centre écologique de Karpata, Dania's Leap est un des sites de plongée les plus réputés de Bonaire pour son extraordinaire visibilité. La profondeur varie de 3 à 40 m. Les 12 premiers mètres s'enfoncent en pente douce, puis un tombant plus à pic nous entraîne vers le fond à travers un jardin d'éponges orange et violettes.

C'est à partir de 20 m, dans les anfractuosités de rochers ou sur les éponges que l'on peut rencontrer les poissons-crapauds *(Antennarius).* L'espèce la plus commune, *Antennarius multiocellatus,* s'identifie parfaitement aux éponges en raison de sa couleur, le plus souvent jaune à l'âge adulte. Mais il existe aussi des formes roses ou brunes, voire même tachetées. En fait, l'animal est un véritable poisson caméléon. Il chasse à l'affût, dressant son appendice nasal comme un appât. Ce poisson, qui peut rappeler sous certains aspects le scorpion, est tout à fait inoffensif et peut même être pris dans la main. La taille maximale de ce curieux poisson est de 25 cm. Mais il existe également des formes encore plus petites, *Antennarius bermudensis,* ne dépassant pas 10 cm.

3

Notre avis

Dania's Leap est un vrai plaisir pour les adeptes de la photo sous-marine. Par beau temps, la visibilité dépasse 40 m. Juste à côté, se trouve Rappel, un autre excellent site de plongée qui est accessible depuis la plage de Karpata. La mer, presque toujours calme, rend cet endroit fort agréable à pratiquer pour la plongée-loisir.

1

1) Les spirobranches (Spirobranchus giganteus) sont des vers sédentaires au panache de branchies très coloré.

2) Comme un minuscule sapin de Noël, un spirobranche déploie son panache élégant.

3) L'architecture typiquement néerlandaise des bâtiments de Curaçao crée une ambiance très particulière.

4) Mushroom Forest doit son nom aux coraux aux formes de champignons.

MUSHROOM FOREST :
Le jardin lilliputien

NIVEAU DE PLONGÉE	★
QUALITÉ DE LA PLONGÉE	★★
ASPECT TOURISTIQUE	★★

Au nord de l'île de Curaçao, un complexe corallien très tortueux crée une forêt de madrépores globuleux comme des champignons. La roche vivante s'habille de minuscules vers aux panaches en forme de sapins de Noël aux mille couleurs...

Renseignements pratiques

Willemstadt, la capitale de Curaçao, est reliée plusieurs fois par semaine à New York, Miami, Porto Rico et Caracas par la compagnie ALM (Antillean Airlines). S'étendant en une bande plate de 61 km de long, Curaçao est un peu décevante sur le plan des paysages. En revanche, Willemstadt ne manque pas de charme avec ses maisons colorées à l'architecture typiquement néerlandaise. C'est un port franc où le shopping est roi. Zone industrielle importante, Curaçao est visitée par d'énormes cargos et pétroliers.
La plongée s'effectue uniquement sur la partie ouest de l'île. Les abris sont rares et les vents réguliers. Cela entraîne la présence d'une houle quasi permanente. Mieux vaut être déjà bien

2

3

4

amariné avant de plonger à Curaçao.
Mushroom Forest est un des plus beaux sites de plongée de la partie nord de Curaçao. Tous les centres de plongée de l'île peuvent y accéder. Mieux vaut toutefois se rapprocher du site pour éviter les trop longues sorties en bateau. Vous pouvez par exemple choisir Coral Cliffs Resort à Boca Santa Martha. Situé sur une très belle plage de sable blanc, il héberge le Master Dive Reef Adventures, club de plongée pouvant accueillir une vingtaine de plongeurs.

Particularités

Situé à côté de Sponge Forest, un des sites de plongée très apprécié du nord de Curaçao, Mushroom Forest (littéralement la Forêt des champignons) est bien protégé des vents et des vagues. Le courant y est très rare et l'eau toujours claire. C'est un endroit idéal pour les débutants, la profondeur n'excédant pas 12 m. En dépit de son relief assez plat, Mushroom Forest est un endroit complexe à visiter. Les pâtés de madrépores abondent, composant des trous, des gorges, des cavités propices au développement d'une multitude d'invertébrés.
Nous avons été tout particulièrement séduits par l'abondance des spirobranches. Ces vers tubiformes développent un panache en spirale très caractéristique. On dirait des sapins de Noël miniatures. Bien qu'appartenant à la même espèce *(Spirobranchus giganteus)*, les différents sujets présentent des couleurs variées. Bleu, jaune, marron, orange, blanc et tous les mélanges de ces coloris sont rencontrés. Ces animaux creusent le corail vivant et s'installent dans le squelette calcaire qu'ils colonisent parfois de manière importante. Très timides, les spirobranches rétractent leur panache à la vitesse de l'éclair dès qu'ils sentent la moindre vibration dans l'eau.

Notre avis

Il est dommage que l'on ne connaisse pas assez cette île en Europe. L'essentiel des plongeurs vient des États-Unis, où les îles ABC (Aruba, Bonaire, Curaçao) sont extrêmement populaires. Pour obtenir des forfaits intéressants, il est préférable de passer par une agence de voyages américaine spécialisée.

1

1) Des myriades de petits poissons virevoltent avec grâce autour des coraux de Sandy's Plateau.

2) Véritable jardin animé à la vie trépidante, ce récif de Curaçao est un des plus aisément accessibles.

3) Dans les anfractuosités du récif, des spirographes géants (Sabellastarte magnifica) *s'épanouissent dans les endroits ombragés.*

SANDY'S PLATEAU :
Une vie trépidante

NIVEAU DE PLONGÉE	★★
QUALITÉ DE LA PLONGÉE	★★★
ASPECT TOURISTIQUE	★★

Tout proche de la côte, un plateau de corail s'enfonce doucement dans les grandes profondeurs. Il se pare de mille formes d'éponges et de gorgones habitées par une myriade de petits poissons de toutes les couleurs...

Renseignements pratiques

S'il est facile d'accéder à Curaçao, il est beaucoup plus difficile de choisir où plonger étant donné l'abondance des centres de plongée. Pas moins d'une quinzaine de *dive shops* professionnels offrent leurs services aux visiteurs. La plupart sont installés dans les complexes hôteliers. On plonge à l'américaine avec une assistance très complète des moniteurs. Pas de bouteille à porter. La plongée du moindre effort !
Tous les bateaux, superbement équipés, offrent le confort dernier cri. De larges échelles permettent une remontée agréable. Boissons fraîches à bord, bac d'eau douce pour le matériel photo, logement pour les équipements : tout est prévu. Il est indispensable de se munir d'une carte de plongeur (CMAS, Padi) précisant votre niveau,

sinon vous ne serez pas autorisé à plonger. Chaque sortie à Curaçao se limite à une seule plongée. En effet, la plupart des sites vous entraînent en dessous de 20 m. La législation de la plongée commerciale se basant sur les normes américaines, il n'est pas question d'effectuer des plongées avec paliers de décompression. Des plongées de nuit sont organisées régulièrement deux à trois fois par semaine. Elles se déroulent sur des récifs peu profonds, notamment celui de Sandy's Plateau. C'est l'occasion de découvrir de nombreux invertébrés.

Particularités

Le récif de Sandy's Plateau commence à une profondeur de 5,50 m et descend tout doucement jusqu'à une dizaine de mètres. C'est dans ces eaux peu profondes que la plongée est la plus belle. Les rayons du soleil percent la surface et viennent créer des effets lumineux magnifiques dans ces eaux de cristal.
On y rencontre l'habituelle «flore» des Caraïbes avec son abondance de gorgones et d'éponges de toutes sortes. Les gorgones très branchues, du genre *Eunicea* sont particulièrement bien représentées. Mais, ici, les animaux sédentaires à l'aspect végétal sont entourés de myriades de petits poissons colorés. Cela donne un aspect vivant et une animation rarement rencontrés dans les Caraïbes. De très belles formations de corail-cerveau viennent ponctuer le récif. En continuant vers les profondeurs, on rencontre de belles branches de corail noir et quelques éponges «ne me touche pas» *(Neofibularia neotangere)* dont le simple contact provoque une douloureuse sensation de brûlure.
C'est un site qui enthousiasmera les plongeurs peu expérimentés et même les adeptes de l'apnée. Avec un peu de chance et d'expérience, vous pourrez sans doute admirer quelques panaches de grands spirographes *(Sabellastarte magnifica)*. Approchez-vous en douceur car, à la moindre alerte, le plumet de dentelle se rétracte à la vitesse de l'éclair !

Notre avis

Curaçao offre une très belle plongée, mais aussi l'occasion d'une vie nocturne trépidante. Les casinos sont ouverts jusqu'aux premières heures de l'aube. Il y a aussi d'innombrables restaurants, piano-bars et dancings. Une destination qui, pour une fois, satisfera les accompagnateurs non-plongeurs.

2

3

1

1) Le redoutable poisson-scorpion (Scorpaena plumieri) *attend sa proie, dissimulé sur un fond de sable.*

2) Scorpaena grandicornis *se reconnaît à ses protubérances en forme de corne au-dessus des yeux.*

3) Les poissons-scorpions se parent d'excroissances extraordinaires pour mieux se fondre dans leur environnement.

4) Le Lion's Dive Hotel est un des complexes touristiques les mieux équipés de Curaçao pour la plongée.

PIEDRA PRETU :

Le repaire des scorpions

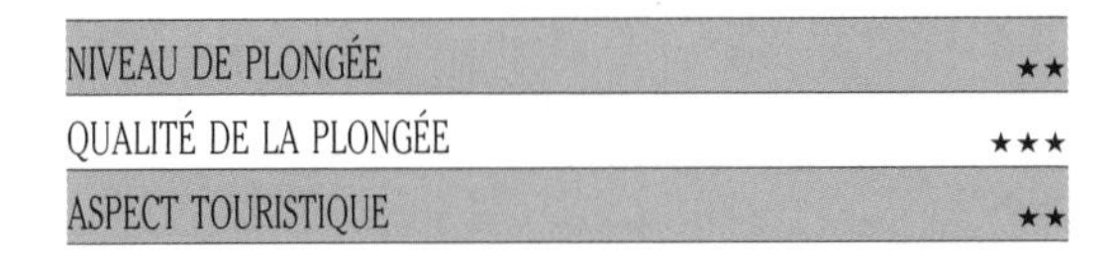

NIVEAU DE PLONGÉE	★★
QUALITÉ DE LA PLONGÉE	★★★
ASPECT TOURISTIQUE	★★

Un jardin d'éponges arbustives, faisant transition entre les falaises et le grand bleu, dissimule une quantité incroyable de poissons-scorpions. Leur robe mimétique est presque impossible à déceler car l'animal chasse à l'affût...

Renseignements pratiques

À l'extrême pointe sud de l'île de Curaçao, deux sites de plongée sont recensés : Piedra Petru et Oostpunt. La configuration des lieux est identique. Le récif commence près de la falaise sous 6 m d'eau limpide, puis il s'égrène doucement dans un bleu profond vers l'infini.

Considéré comme un des meilleurs centres d'hébergement pour les plongeurs, l'hôtel Lion's Dive se divise en plusieurs bungalows au bord de l'eau. Les nombreux centres de plongée de Curaçao ont conçu un programme de sorties bien précis. Cela leur permet de visiter chaque site indépendamment. On a l'impression d'être des aventuriers découvrant les récifs par petits groupes. Chaque endroit intéressant est balisé. Le bateau n'a donc pas besoin de jeter l'ancre pour s'amarrer. C'est un excellent moyen de protéger le corail dans les zones très fréquentées par les plongeurs. Chaque *Dive shop* offre deux plongées par jour, une seule bouteille par sortie. Du nord au sud de l'île, une quarantaine de plongées ont été repérées et balisées.

Particularités

Le paysage de Piedra Petru ressemble plus à un jardin qu'à un récif corallien. Comme souvent dans les Caraïbes, la faune sédentaire domine par rapport aux poissons. C'est un immense jardin d'éponges et de gorgones aux espèces innombrables. Tout l'attrait de cette plongée tient dans la clarté de l'eau qui laisse pénétrer le soleil, donnant à la scène un aspect chatoyant. Nous avons été surpris par l'abondance des poissons-scorpions dans ces lieux. Il est impossible de ne pas en rencontrer à chaque plongée. Le plus répandu est le scorpion tacheté *(Scorpaena plumieri)*. Parfaitement mimétique, cet animal reste immobile sur le corail ou le fond de sable, imitant la pierre à la perfection. Chasseur à l'affût, le scorpion attend qu'un petit poisson imprudent passe à sa portée. Il lui suffit alors d'ouvrir son énorme bouche pour gober le malheureux. Le plongeur n'est pas à l'abri d'une rencontre avec le poisson-scorpion. En effet, ce dernier possède une rangée d'épines venimeuses sur son dos. Véritables seringues à poison, elles peuvent infliger une terrible blessure si on les touche.

3

2

Jamais agressif, le poisson-scorpion est un régal pour le photographe. Il se laisse approcher de très près, permettant la réalisation aisée d'un portrait en gros plan. Les rares accidents à déplorer sont toujours fortuits. Il est quand même recommandé de plonger avec des gants.
Moitié moins grand que le précédent, le scorpion plumeux *(Scorpaena grandicornis)* dépasse rarement 15 cm. Il se reconnaît à son appât plumeux porté sur le haut de la tête. Le poisson le dresse en guise d'appât quand il désire attirer une proie. C'est une espèce commune, mais plus difficile à observer en raison de sa timidité.

Notre avis

Une plongée très agréable, à faire de préférence le matin pour bénéficier du meilleur ensoleillement. Ne manquez pas de visiter l'aquarium de Curaçao. Situé en face de l'hôtel Lion's Dive, c'est un endroit unique. On y rencontre des sujets impressionnants, notamment des loches de plus de 100 kg.

4

1) Immobile sur le fond, le poisson-lézard (Synodus intermedius) *attend sa proie.*

2) La large bouche du poisson-lézard signale qu'il s'agit d'un prédateur redoutable.

3) Les poissons-lézards se posent souvent dans les anfractuosités des madrépores.

4) La population créole d'Aruba acueille toujours le visiteur avec un sourire.

KANTIL REEF :
La chasse des lézards

NIVEAU DE PLONGÉE	★★
QUALITÉ DE LA PLONGÉE	★★
ASPECT TOURISTIQUE	★★

Sur les récifs peu profonds d'Aruba, l'association de massifs coralliens et de bancs de sable constitue un terrain de chasse privilégié pour les poissons-lézards au féroce appétit. Dans leur tenue de camouflage, ils ne laissent aucune chance à leurs victimes...

Renseignements pratiques

Aruba est la première des A.B.C. Islands (Aruba, Bonaire, Curaçao) qui appartiennent aux Pays-Bas. Cette petite île de 72 000 habitants mesure 32 km de long et 10 km de large. Elle est surtout connue pour son exploitation pétrolière et ses plages de sable blanc. La plongée y est pourtant fort intéressante en raison de l'abondance des récifs encore assez peu explorés.
De nombreuses plongées ont pour but la découverte des épaves, car c'est sans doute autour de cette île que l'on rencontre la plus importante concentration de navires engloutis de toutes les Caraïbes. La côte est d'Aruba est battue par les vents violents. Il en résulte un paysage assez désolé avec une végétation de cactus et d'arbres très inclinée. Au nord-ouest,

on rencontre des formations rocheuses assez curieuses, créées par l'érosion marine. La plus spectaculaire est le «Pont naturel», véritable arche de pierre de trente mètres de long, surplombant la mer d'une vingtaine de mètres.
La plongée se pratique sur toute la partie ouest de l'île, non loin de la capitale Oranjestad. Aruba Pro Dive, Pelican Watersports Inc et Aruba Scuba Center sont trois importantes bases de plongée installées dans la capitale. Toutes pratiquent la plongée à l'américaine avec pour différence, toutefois, de limiter le nombre des plongeurs à des petits groupes pour chaque sortie.

2

3

Particularités

Kantil Reef est un récif en pente douce qui descend de 6 à 27 m dans un éboulis de coraux ornés de gorgones. C'est dans la partie peu profonde que se rencontrent les formations coralliennes les plus variées, ponctuées de place en place par des bandes de sable. C'est un lieu très propice pour la rencontre avec les poissons-lézards. On les trouve toujours posés sur une roche, un madrépore ou une éponge car ils chassent à l'affût. Assez mimétiques, ces poissons peuvent se rencontrer sur le sable. Ils s'y enfoncent partiellement, devenant quasi invisibles.
On rencontre trois espèces de poissons-lézards dans les Caraïbes. Il n'est pas toujours très commode de les distinguer les unes des autres. La plus fréquente est sans nul doute le «plongeur de sable» *(Synodus intermedius)*. Ce poisson strié de brun rougeâtre peut atteindre 40 cm de longueur. Il est un peu plus terne et plus grand que le poisson-lézard rouge *(Synodus synodus)*. Autre espèce courante, le poisson-lézard strié *(Synodus saurus)* présente des marques losangiques brunes sur le corps et de fines raies turquoise sur le dos.
Grand carnassier, amateur de petits poissons, le poisson-lézard doit son nom à sa technique de chasse. Il rampe littéralement sur le sable en direction de sa proie, s'aidant de ses nageoires pectorales. Dans ce comportement particulier, il ressemble beaucoup à un lézard. Peu farouches, ces poissons se laissent volontiers approcher mais ils sont capables de s'enfuir à la vitesse de l'éclair.

Notre avis

La plongée à Aruba s'effectue en toute sécurité en raison de l'excellent équipement que possèdent les bases locales. On n'est guère dépaysé en arrivant de Bonaire ou de Curaçao, les fonds présentant de grandes similitudes.

4

1

1) Redoutable, mais d'une délicate beauté, l'oursin magnifique (Astropyga magnifica) *porte de longues épines cassantes.*

2) Tripneustes ventricosus *est un oursin compact aux piquants très courts mais acérés.*

3) L'oursin violet (Echinometra viridis) *est une des espèces les plus communes dans les Caraïbes.*

4) Les barques des pêcheurs d'Aruba servent de perchoir aux mouettes.

5) Le dollar des sables (Clypeaster humilis) *est toujours très convoité par les collectionneurs.*

GOLDEN ISLAND :
Un problème épineux

NIVEAU DE PLONGÉE	★★
QUALITÉ DE LA PLONGÉE	★★
ASPECT TOURISTIQUE	★★

C'est en plongeant la nuit sur les récifs peu profonds de Golden Island que l'on fait la rencontre avec les mieux armées des créatures marines. Les oursins font la fête dans l'obscurité, attention où vous posez les mains...

Renseignements pratiques

Aruba est une excellente destination de vacances pour toute une famille. En effet, contrairement à beaucoup d'îles entièrement axées sur l'activité subaquatique, Aruba offre d'autres plaisirs, notamment de très jolies plages, la possibilité de s'adonner à la planche à voile ou au parachute ascensionnel. Les amateurs de pêche pourront essayer de capturer quelques bonites ou des tarpons. Il y a aussi un beau parcours de golf sur l'île, et bien sûr, les inévitables casinos, comme sur toutes les îles A.B.C.
Jusqu'en 1985, l'industrie majeure d'Aruba était le raffinage du pétrole. Mais cette activité a baissé. Aujourd'hui, c'est le tourisme qui se développe avec, depuis 1988, un véritable « boom » sur la plongée. Un sous-marin « Atlan-

2

3

tis» permet aux non-plongeurs de découvrir la beauté des fonds coralliens. Il promène pendant une heure une quinzaine de passagers disposant chacun d'un large hublot. Une découverte passionnante, la mer accessible à tous.

Particularités

D'une manière générale, les oursins ne sont pas très nombreux dans les récifs des Caraïbes. C'est à Aruba, et plus particulièrement sur le récif entourant Golden Island, un des nombreux îlots de la côte ouest, que nous en avons observé le plus. On sait que la concentration des oursins est souvent liée à la présence de débris organiques, pourtant les eaux sont particulièrement claires à cet endroit. Il est assez difficile de les localiser le jour. Ils se cachent volontiers dans les cavités rocheuses ou entre les blocs de coraux. En revanche, ils sortent la nuit pour capturer avec leurs piquants les particules organiques en suspension.

De nombreuses espèces peuvent être observées. La plus commune est l'oursin de rocher *(Echinometra viridis)* aux piquants brun violacé s'articulant autour d'une petite couronne blanche. Tout à fait original avec son habit d'épines blanches en bataille, l'œuf de mer *(Tripneustes ventricosus)* habite surtout les faibles profondeurs. Il est souvent couvert de morceaux d'algues. Plus redoutable, l'oursin magnifique *(Astropyga magnifica)* porte de longues épines très fines et cassantes. À la moindre piqûre, elles se brisent dans les chairs. En glissant vers les fonds sableux, on rencontre souvent les fameux dollars des sables *(Clypeaster humilis)*. Ils sont couverts d'un fin duvet non urticant. Leur enveloppe calcaire est d'une rare fragilité.

5

4

Notre avis

La plongée à Aruba est agréable car c'est une activité encore récente dans cette île. Cela donne un côté plaisant de découvreur qu'on ne trouve guère dans la plupart des sites importants des Caraïbes.

1

1) Le poisson-lime à points blancs (Cantherhines macroceros) *porte souvent une robe marron-orangé. C'est un animal timide.*

2) Le baliste-royal (Balistes vetula) *est un poisson assez difficile à observer de près, mais quelle élégance !*

3) Nous avons rencontré de nombreux balistes-écriture dans les eaux d'Aruba. Des poissons à la silhouette cocasse.

4) Les couchers de soleil font partie du quotidien à Aruba. Un bel embrasement est annonciateur de beau temps.

SKALAHEIN REEF :

Les flâneries du poisson-lime

NIVEAU DE PLONGÉE	★★★
QUALITÉ DE LA PLONGÉE	★★
ASPECT TOURISTIQUE	★★

Très cosmopolites, les poissons-limes habitent presque tous les océans. C'est dans les Caraïbes, et notamment dans les eaux d'Aruba, que nous avons fait leur connaissance. Ces curieux poissons flânent avec nonchalance, en godillant des nageoires...

Renseignements pratiques

Une douzaine de centres de plongée se partagent les eaux d'Aruba. La plupart travaillent en collaboration avec des hôtels, cela permet de pouvoir bénéficier de forfaits intéressants. Il est facile d'accéder à Aruba depuis les autres îles A.B.C. ou bien du Venezuela. La compagnie ALM rallie Oranjestad depuis les USA et les Antilles. Nombre de plongeurs viennent visiter Aruba pour ses épaves. Certaines sont très renommées comme l'*Antilla*, le *Pedernales* ou les avions de *Bacuti Reef*. Il s'agit d'épaves de la Seconde Guerre mondiale qui offrent surtout un attrait historique car, aujourd'hui, elles sont assez abîmées. En revanche, elles attirent une quantité importante de poissons divers et présentent de très délicates incrustations.

Pour apprécier toutes les infrastructures d'une épave, mieux vaut plonger sur le *Jane C.* Il s'agit d'un grand bateau de 58 m de long coulé volontairement en septembre 1988 pour devenir un site de plongée. Ce bateau repose par 27 m de fond, mais la plongée n'y est guère facile en raison de la présence quasi permanente d'un courant assez intense. Cela explique pourquoi nous avons préféré découvrir les nombreux récifs autour d'Aruba plutôt que nous concentrer sur les épaves. Mais au cours d'un séjour d'une semaine, ce sont des sites qu'il faut visiter.

2

3

Particularités

Le Skalahein Reef est un des plus profonds récifs d'Aruba puisqu'il vous entraîne facilement vers 40 m de profondeur. C'est un des rares endroits de l'île où l'on peut avoir l'impression de visiter un tombant. Le récif plonge verticalement dès que vous avez atteint 15 m de profondeur. Dans les eaux superficielles, de grosses formations madréporiques créent un paysage varié. C'est là que l'on rencontre de très nombreux poissons-limes *(Aluterus scriptus)*. Proches des balistes, ces curieux poissons se montrent plutôt méfiants. Ils se caractérisent par un corps plat tout cabossé. On dirait que l'animal sort d'un combat de boxe. Herbivores, les poissons-limes se plaisent près des prairies sous-marines. Une autre espèce est également assez fréquente dans ces eaux : le poisson-lime à points blancs *(Cantherhines macroceros)*. Il peut présenter deux robes différentes : marron-orangé ou brun tacheté de blanc. Il se nourrit habituellement d'éponges et se camoufle presque toujours derrière les gorgones.
On rencontre également de vrais balistes sur ce récif, notamment le baliste royal *(Balistes vetula)*, un poisson d'une rare élégance, dont les nageoires triangulaires battent comme des voiles quand l'animal se déplace. D'ordinaire difficile à approcher, cet animal peut à l'occasion se montrer curieux à l'encontre du plongeur.

Notre avis

Aruba est une île touristique rendue fort plaisante par la variété d'activités qu'elle offre à ses visiteurs. Les plongées ne sont pas exceptionnelles, mais elles sont agréables en raison de l'excellente visibilité des eaux (hormis à proximité immédiate de la capitale) et des créatures très variées qu'elles abritent.

4

CARAÏBES CONTINENTALES

Caraïbes continentales

Les côtes de l'Amérique centrale et de l'Amérique du Sud qui bordent la mer des Caraïbes recèlent quelques-unes des plus belles plongées du monde. Cette région, quasiment inconnue des Européens, mis à part le Mexique, nous a offert des moments de plongée d'une rare intensité. C'est un monde complètement différent des Caraïbes insulaires, avec pour dominante l'immensité. Infini des barrières de corail du Belize, gigantisme des canyons des Bay Islands au Honduras, démesure de la faune des eaux du Yucatán. Bénéficiant d'un climat chaud et régulier presque toute l'année, ces endroits privilégiés prennent bien souvent l'aspect de paradis tropicaux. C'est le cas du Belize et de Roatán qui peuvent satisfaire vos rêves les plus fous de dépaysement. Ces lieux, dominés par une nature sauvage de toute beauté, doivent absolument être préservés et ne pas succomber à la tentation du tourisme de masse.

En raison de la richesse des sites archéologiques mayas, la péninsule du Yucatán ne jouit plus de cette tranquillité. Elle est visitée chaque année par des millions de curieux, ce qui a provoqué une éruption hôtelière anarchique sur toute la côte. Mais fort heureusement, une politique de protection draconienne des fonds permet de profiter encore de la richesse exceptionnelle des récifs de Cancún et de Cozumel. C'est un des points forts des Caraïbes pour la découverte des grands poissons pélagiques. Sensations fortes garanties !

Page précédente : quand le soleil se couche sur Anthony's Key Resort, on se croirait, avec juste raison, au bout du monde. Un petit paradis pour des vacances-plongées exceptionnelles.

Page de droite : le Belize et le Honduras vous garantissent des plongées dans des eaux d'une clarté exceptionnelle. La richesse des récifs coralliens y est remarquable.

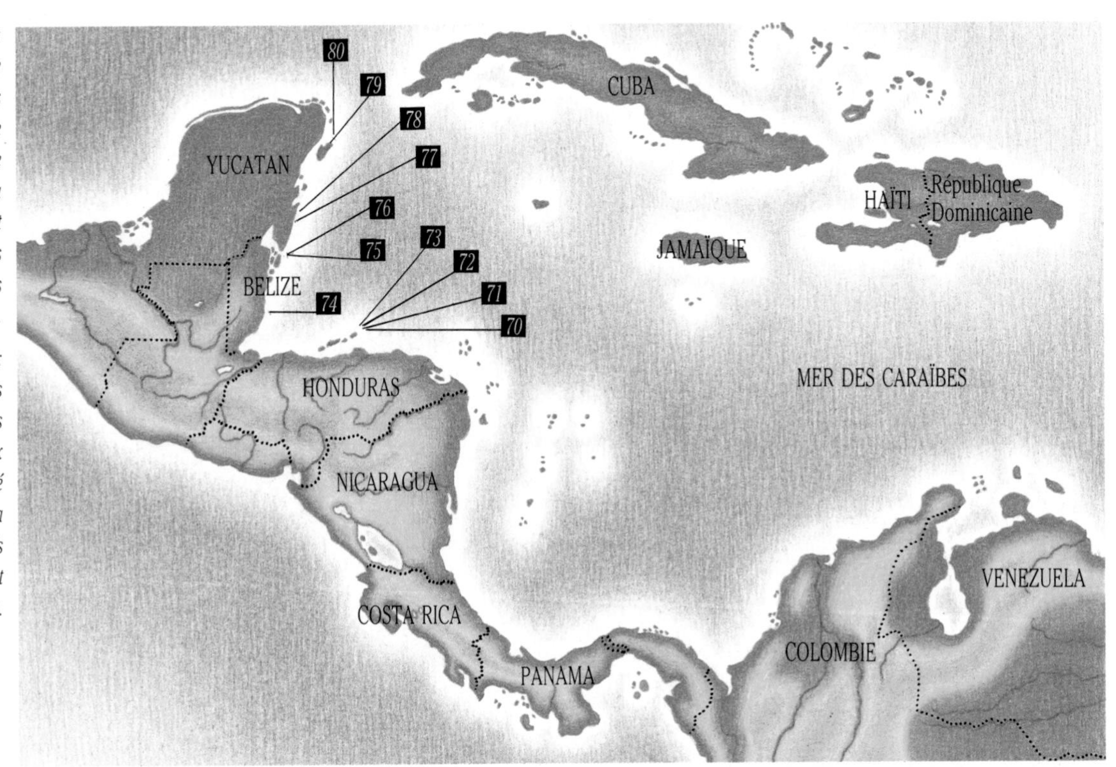

- 70 Anthony's Key
- 71 West End Wall
- 72 Romeo's Resort
- 73 Fantasy Island
- 74 Saint-George's Lodge
- 75 Blue Creek
- 76 Lighthouse Reef
- 77 Contoy Reef
- 78 Banderas Reef
- 79 Little Caves
- 80 Paradise Reef

1

1) Les eaux de Roatán sont d'une clarté incroyable, avec une visibilité dépassant aisément 30 m.

2) L'architecture des bungalows sur pilotis de Anthony's Key Resort nous fait penser à la Polynésie.

3) Les profonds canyons creusés dans le récif sont l'occasion pour le plongeur-photographe de rechercher des espèces rares.

4) Attirante, la vallée sous-marine vous incite à entrer dans un monde d'apesanteur qui donne un grand sentiment de liberté.

ANTHONY'S KEY : Un goût de paradis

NIVEAU DE PLONGÉE	★★★
QUALITÉ DE LA PLONGÉE	★★★★
ASPECT TOURISTIQUE	★★★

Merveilleux centre aux constructions en bois sur pilotis, Anthony's Key fait penser à la Polynésie. Cet endroit calme et reposant propose quelques-unes des plus fantastiques plongées des Caraïbes. Un endroit de rêve où il fait bon vivre...

Renseignements pratiques

Niché dans une anse bien abritée sur le versant nord de l'île de Roatán, Anthony's Key Resort est un petit bijou rustique parfaitement intégré dans l'environnement tropical. Le bâtiment principal est suspendu dans les arbres. On y accède par un escalier en bois. Tout est construit ici en matériaux traditionnels. Les bungalows qui hébergent les visiteurs sont montés sur pilotis. Ils reposent directement sur l'eau. Pas d'air climatisé, mais des persiennes réglables qui assurent une ventilation naturelle de la chambre. Le confort est rustique mais très suffisant. Les bungalows sont répartis le long du quai d'embarquement des bateaux ou disséminés sur une petite île distante d'une centaine de mètres. Un service de navette en barque est assuré

2

24 heures sur 24. La plongée est parfaitement organisée à Anthony's Key. Une flotte de 4 bateaux de 12 m de long accueille les plongeurs. Vous choisissez chaque jour votre bateau en fonction des destinations proposées. C'est la liberté totale. Il suffit d'inscrire sur un tableau le numéro de la bouteille qui vous a été attribuée et on vous la livre à domicile sur le bateau. Deux plongées le matin et une l'après-midi se déroulent au rythme invariable des sorties en mer. Le mercredi et le vendredi, il y a aussi une plongée de nuit. Plus de 30 sites différents sont recensés à moins d'une demi-heure de navigation d'Anthony's Key.

3

Particularités

La plongée est exceptionnellement belle car les eaux sont limpides et généreuses. Nous avons été très surpris de la richesse des eaux, beaucoup plus poissonneuses que dans la plupart des autres sites des Caraïbes.
Canyon Reef est sans doute un des endroits les plus extraordinaires que nous connaissions. De profondes fissures creusent des ravins dans le récif. Il ne faut pas hésiter à s'enfoncer dans ces gorges car elles aboutissent toujours vers l'extérieur du tombant. La promenade est sans danger à condition de disposer d'une réserve d'air suffisante. On a littéralement l'impression de voler dans ces chenaux naturels peu poissonneux, mais au relief magnifique. La transparence de l'eau permet une visibilité d'au moins 30 m. C'est ce qui donne cette sensation complète d'apesanteur très euphorisante.
Les photographes devront se munir d'un objectif très grand angle. L'idéal est d'utiliser le fameux 15 mm du Nikonos. Mais vous pouvez également découvrir des sujets fort intéressants pour la macrophoto.

4

Notre avis

Cette plongée, n'excédant pas 15 m de profondeur, laisse des sensations indescriptibles. Beaucoup de sites autour d'Anthony's Key présentent une configuration similaire, parfois dans 5-6 m seulement. Les non-plongeurs pourront ainsi découvrir les magnifiques paysages avec un simple masque !

1

1) Anthony's Key Resort se caractérise par son bâtiment principal niché dans les branches d'un arbre géant.

2) Carangidé à la silhouette allongée, Elagatis bipinnulata *est appelé le coureur d'arc-en-ciel par les anglo-saxons.*

3) West End Wall est un récif aux dimensions impressionnantes. Les coraux très variés s'associent dans un ensemble magnifique.

WEST END WALL:
Le récif infini

NIVEAU DE PLONGÉE	★★★
QUALITÉ DE LA PLONGÉE	★★★★
ASPECT TOURISTIQUE	★★

L'extrême pointe ouest de Roatán est une des plus belles plongées des Caraïbes en raison de la générosité du récif et du passage très fréquent de gros poissons pélagiques. Une impression d'infini dans ce récif immense...

Renseignements pratiques

Les bateaux de plongée d'Anthony's Key sillonnent plusieurs fois par semaine les eaux qui bordent West Bay Beach. Ils y pratiquent la *drift dive*, une technique grand confort pour les plongeurs aventureux. Il s'agit de larguer les plongeurs dans un endroit et de les laisser dériver doucement au gré du courant, puis de les récupérer quand ils remontent. C'est grâce à un climat très stable et des conditions de plongée idéales que cette technique peut être pratiquée en toute sécurité. Cela permet de profiter pleinement de l'extraordinaire récif et de parcourir de grandes distances, sans se soucier de l'orientation. Il faut, bien entendu, des bateaux et des marins très sûrs pour récupérer les plongeurs. Ces derniers doivent être parfaitement autonomes afin de pouvoir calculer sans erreur leur temps d'immersion et leur vitesse de remontée. Une fois en surface, il suffit de gonfler le gilet de stabilisation et d'attendre le bateau. De mars à juillet, la plongée est parfaite à Roatán. Les pluies les plus importantes se produisent en novembre et décembre. La température moyenne tout au long de l'année est de 26°C et le soleil brille au moins 300 jours par an. La température de l'eau est de 24-26°C, la visibilité dépasse presque toujours 20 m, atteignant par endroit 40 m.

Particularités

West End Wall est un récif tout en longueur dont le sommet se trouve à 8-9 m sous la surface. Dans ces eaux claires et bien éclairées, une myriade de petits poissons de récifs virevolte dans tous les sens. On rencontre aussi très souvent des bancs de chirurgiens bleus et de magnifiques poissons-anges. En s'éloignant vers l'extérieur du récif, on aboutit très vite à un tombant vertical. Il commence par 20 m de fond, descendant jusqu'à un fond de sable immaculé vers 50 m. En scrutant les profondeurs et le bleu infini du large, vous êtes presque certain d'apercevoir la silhouette furtive d'un requin ou l'envol majestueux d'une raie-aigle.

La limpidité exceptionnelle de l'eau permet d'apprécier des paysages immenses dans toute leur grandeur. C'est un spectacle exceptionnel qui donne à cette plongée une rare majesté. En remontant légèrement vers la surface, on peut apprécier la coloration des madrépores illuminés par le soleil. Les plongeurs les plus sobres en consommation d'air seront entraînés jusqu'à Herbie's Place, le premier récif de la côte sud qui prolonge West End Wall.

Notre avis

C'est une plongée extraordinaire qui donne une grande impression de liberté et permet d'avoir une vision quasi panoramique d'un récif immergé. En faisant oublier les contraintes d'orientation, *la drift dive* permet au plongeur de se concentrer sur le paysage admirable. Une sensation inoubliable.

2

3

1

1) Ocyurus chrysurus est un des poissons les plus familiers des Caraïbes. Il adore accompagner les plongeurs.

2) Les petits poissons à queue jaune sont présents dans toutes les plongées de Roatán.

3) Agréable endroit pour des vacances décontractées, Romeo's Resort possède une magnifique piscine d'eau douce.

ROMEO'S RESORT :
Un amour de poisson

NIVEAU DE PLONGÉE	★★
QUALITÉ DE LA PLONGÉE	★★★
ASPECT TOURISTIQUE	★★

Dans les eaux délicieuses de la côte sud de Roatán, le plongeur est très souvent accompagné par des poissons à queue jaune au comportement familier. Curieux, à la limite du sans-gêne, ils donnent l'impression de chercher à devenir nos amis...

Renseignements pratiques

Tout près de l'aéroport de Roatán, Romeo's Resort est un petit centre hôtelier discret, dissimulé au fond d'une baie paisible habillée d'une végétation tropicale luxuriante. Comme tous les hôtels de l'île, il accueille surtout des plongeurs et dispose d'un centre bien équipé avec bouteilles et compresseur.
À moins de 50 km de la côte du Honduras, Roatán est la plus importante des Bay Islands. Cet archipel, d'une soixantaine d'îles, est en passe de devenir un des hauts lieux de la plongée mondiale. Il est facile de rallier Roatán depuis Miami par un vol de la compagnie nationale du Honduras Tan Sasha. Il y a juste un changement d'avion à San Pedro Sula.
L'île de Roatán s'étend tout en longueur sur

2

58 km. Sa largeur maximum n'est que de 4 km. Très vallonnée en collines verdoyantes, Roatán offre des paysages splendides et une végétation fort intéressante avec des orchidées sauvages. Côté touristique, il y a un jardin botanique à visiter, mais ce sont surtout les activités nautiques qui attirent les étrangers. Ne comptez pas rapporter grand-chose, de vos shoppings. Les boutiques sont pauvrement achalandées, la plus intéressante se situant sans aucun doute à Fantasy Island.

Particularités

Les plongées se déroulent dans un environnement tropical enchanteur. Les sites les plus près de Romeo's Resort se nomment Dixon Cove Point, Tarpon Wall, Connie's Dream, Brick Bay Point, Sponge Garden et Romeo's Elbow. Il est rare dans toutes ces plongées de ne pas être accompagné par un ou plusieurs poissons à queue jaune *(Ocyurus chrysurus)*. On les appelle sur place des « Yellowtail Snapper » car ils sont très proches des lutjans dans la classification scientifique. Ces poissons, de 30 à 40 cm de longueur en moyenne, peuvent atteindre 60 cm. Ils nagent seuls ou en petits groupes, se déplaçant à grande vitesse. Quelques miettes de pain suffisent à les attirer en grand nombre. Ils virevoltent alors autour du plongeur, n'hésitant pas à venir lui picorer les doigts et même le masque. Ces amusants poissons sont caractéristiques des petits fonds. Il est rare en effet qu'ils dépassent 20 m de profondeur. C'est sans doute ce qui les rend si familiers avec les plongeurs. Habitués à la présence de ces êtres hétéroclites qui font des bulles, ils s'en accommodent, cherchant même à jouer avec eux.

Notre avis

Les plongées à faible profondeur dans les eaux de Roatán frôlent parfois l'exceptionnel en raison de la clarté extrême de l'eau. Inutile de porter une combinaison en néoprène. Un simple vêtement léger en lycra suffit amplement.

3

1

1) L'immense plage de sable blanc invite les plongeurs à la détente à Fantasy Island, un petit paradis artificiel.

2) Ce monolithe de corail extraordinaire donne l'impression d'être une statue vivante.

3) Dendrogyra cylindricus est une forme corallienne remarquable qui peut dépasser 1,50 m de hauteur.

FANTASY ISLAND:

Des sculptures de corail

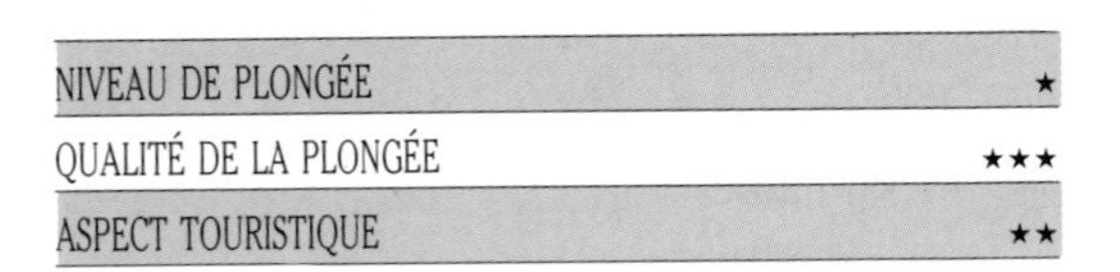

NIVEAU DE PLONGÉE	★
QUALITÉ DE LA PLONGÉE	★★★
ASPECT TOURISTIQUE	★★

À quelques coups de palmes d'un hôtel confortable, un récif enchanteur vit dans une féerie de formations coralliennes. L'eau limpide et peu profonde en fait un site idéal pour les débutants... La plongée qui fait aimer la plongée.

Renseignements pratiques

Au sud de l' île de Roatán, Fantasy Island est un complexe hôtelier luxueux, bâti au bord d'une plage de sable blanc de 400 m de longueur. Il occupe un petit îlot privé de 6 hectares, relié à la Grande Terre par une route bien goudronnée. De construction récente (1989), cet ensemble, déjà important, est en constante évolution. Le paysage n'a pas la magie d'Anthony's Key, mais les prestations hôtelières sont beaucoup plus luxueuses.

Un centre de plongée fait partie de l'hôtel. Il dispose de 3 bateaux de 12,50 m de long, permettant d'atteindre rapidement les récifs environnants. Il y a trois sorties par jour, deux le matin et une l'après-midi.

Plus de 30 sites de plongée ont été répertoriés

à moins d'une demi-heure de navigation de l'hôtel. Un belvédère vient d'être construit permettant d'effectuer des plongées sans quitter les environs de l'île. Il y a un joli petit récif et, tout près, l'épave du *Prince Albert* ainsi qu'un avion DC 3, le *Tatoo*. Une barque à moteur vient livrer, sur la demande des clients, tout le matériel nécessaire pour la plongée. Tout est prévu pour le meilleur confort des visiteurs.
Fantasy Island propose aussi des plongées sur la partie nord de Roatán, un des bateaux étant ancré en permanence dans une baie, sur l'autre versant de l'île. Il suffit de cinq minutes en bus pour le rejoindre.

Particularités

On a recensé soixante-cinq espèces différentes de coraux dans les eaux de Roatán. C'est dire la complexité et la richesse des récifs. Nous avons été enchantés par l'originalité de Mary's Place, une plongée située à dix minutes de bateau. Il s'agit d'un récif ayant été bouleversé par des mouvements tectoniques. Il en résulte un incroyable éclatement des murs de corail avec des gorges profondes et très étroites qui servent d'abri à de nombreux poissons.
La Vallée des Géants est située seulement à deux minutes de Fantasy Island. C'est une formation originale qui doit son nom à des pitons rocheux couverts de corail. Ils se dressent au milieu des récifs comme des géants impressionnants, créant un effet de relief très inhabituel. Cette curiosité est due à l'érosion naturelle, la roche des monolithes étant plus dure que le reste du récif. Cette plongée est extrêmement facile car elle ne dépasse pas 12 m de profondeur. L'eau est d'une limpidité absolue, surtout à partir d'avril et jusqu'à septembre.
Les amateurs de sensations plus fortes pourront s'engager vers le tombant et descendre jusqu'à 30 m de profondeur, explorant les fissures du récif à la recherche de quelques murènes et requins-dormeurs.

3

2

Notre avis

Les amateurs de plongée tout confort apprécieront Fantasy Island pour ses services de qualité internationale. Pour notre part, nous avons préféré le charme tropical et la personnalité d'Anthony's Key ainsi que les plongées plus excitantes du récif nord.

1

1) Surpris par le flash en pleine nuit, un poisson-ange français (Pomacanthus paru) *cherche refuge parmi les coraux.*

2) Les ophiures (Ophiothrix suensonii) *sortent volontiers la nuit, rampant sur les grandes éponges.*

3) Rhynchocinetes rigens *est une magnifique crevette rouge vif. Elle bondit en arrière dans son refuge à la moindre alerte.*

4) Le lever de soleil sur Saint-George's Lodge est un plaisir pour les yeux.

SAINT-GEORGE'S LODGE : La nuit de tous les désirs

NIVEAU DE PLONGÉE	★★
QUALITÉ DE LA PLONGÉE	★★★★
ASPECT TOURISTIQUE	★★★★

Adorable petit complexe hôtelier, dans le style pension de famille cossue et raffinée, Saint-George's Lodge accueille le visiteur en ami, lui offrant des plongées sur mesure. La nuit, les créatures les plus mystérieuses du récif se dévoilent.

Renseignements pratiques

Située à trente minutes de bateau de Belize City, Saint-George Caye prend l'aspect d'une retraite de Robinson. Pas de téléphone, de journaux, de télévision, mais des cocotiers et la mer à perte de vue. On vit au rythme de la nature. Fred Good et Laura accueillent leurs hôtes avec chaleur à Saint-George's Lodge. Il est rare qu'il y ait plus de dix convives en même temps. On a l'impression d'être les invités d'une famille charmante, avec laquelle on partage les repas délicieux et les plaisirs de la plongée. Fred est un merveilleux guide de la mer. Depuis dix-huit ans, il a plongé plus de 7000 fois dans ces eaux et en connaît les moindres habitants. Selon l'époque et le degré de technicité des plongeurs en visite, il sait leur concocter des sorties tou-

jours intéressantes et variées. La plongée est préparée avec soin. Fred a établi des tables personnelles très astucieuses. Elles fonctionnent selon un principe de correspondances en escalier. Pour les avoir comparées avec la dernière génération des ordinateurs modernes, nous pouvons vous affirmer qu'elles sont parfaitement au point. Avec en référence près de 25 000 plongées sans le moindre incident, ces tables ont aussi fait la preuve de leur fiabilité !
La plongée au Belize est bonne toute l'année. Une courte saison des pluies en juillet-août peut perturber un peu la clarté de l'eau, mais la température atteint une moyenne de 30° C en cette période estivale.

Particularités

Les grandes barques en bois actionnées par un moteur de 225 CV mettent moins de quinze minutes pour accéder à la plupart des récifs alentour. Ceux-ci n'affleurant pas, il faut toute l'expérience de Fred pour ancrer avec précision. Toutes les plongées sont différentes, du petit jardin de corail au tombant vertigineux, en passant par les massifs de corail noir, les lotissements de mérous, les bancs de carangues, etc. Mais nous avons surtout adoré la plongée de nuit dans ces eaux riches. C'est l'occasion de rencontrer de nombreux crustacés, crevettes, crabes et langoustes de toutes sortes, mais aussi d'étonnants coquillages comme les conques aux yeux télescopiques et des poissons endormis qui se laissent approcher de très près. L'hôte le plus étrange est sans doute le crabe-décorateur *(Podochela sp)* qui se pare de nombreux hydrozoaires lui servant à la fois de camouflage et de protection.

2

3

4

Notre avis

Belize (ancien Honduras britannique) est un petit pays de 190 000 habitants qui pourrait bien devenir une des grandes destinations de la plongée internationale. Les fonds sont extraordinairement riches. On pourrait appeler cet endroit «les Maldives des Caraïbes». Saint-George's Lodge est un endroit délicieux, à conseiller à ceux qui parlent correctement l'anglais. Dépaysement, repos et détente garantis.

1

1) Lactophrys bilcaudalis *est un adorable poisson-coffre portant une robe à pois très reconnaissable.*

2) Vu d'avion, Turneffe Reef, apparaît dans le lointain. Nous sommes juste au-dessus de Saint-George Caye.

3) Baptisé poisson-vache par les anglo-saxons, Lactophrys polygonia *se reconnaît à ses petites cornes.*

4) Une rencontre assez fréquente dans les eaux du Belize, les poissons-coffres Lactophrys triquetus.

BLUE CREEK :

Rapt sur les poissons-coffres

NIVEAU DE PLONGÉE	★★
QUALITÉ DE LA PLONGÉE	★★★
ASPECT TOURISTIQUE	★★

À mi-chemin entre Belize City et le fameux Trou bleu, les îles de Turneffe s'éparpillent en chapelets sur la mer des Caraïbes. L'archipel est entouré de récifs constituant d'innombrables sites de plongée où fourmillent les poissons-coffres...

Renseignements pratiques

Turneffe n'est pas le site le plus populaire du Belize, mais c'est l'un des plus sauvages. On trouve en ce lieu des plongées pour tous les niveaux. Les débutants préféreront la partie ouest, bien protégée et peu profonde. Dans un paysage de mangroves très caractéristique, cet archipel donne l'impression d'une immensité vierge. On y accède facilement depuis Belize City après une heure et demie de navigation environ. Le logement peut se faire sur place au Turneffe Island Lodge qui a recensé plus d'une centaine de plongées alentour. Des excursions d'une journée peuvent aussi être organisées depuis Saint-George's Lodge.
Nous préférons de loin cet endroit à Ambergris Caye, la zone la plus touristique située au nord.

Les fonds y sont plus poissonneux et l'on y savoure la pleine détente sur des plages magnifiques et quasi désertes. La plongée est organisée en deux sorties quotidiennes. Les temps de navigation depuis l'hôtel ne dépassent pas quinze minutes.
Belize est un pays indépendant depuis 1981, mais il appartient toujours au Commonwealth. Doté d'une végétation tropicale luxuriante, il possède la plus importante réserve de jaguars du monde et développe une importante action en faveur de la protection de la nature.

Particularités

Blue Creek est situé plein ouest, entre la mangrove et le récif extérieur. Les fonds ne dépassent pas 10 m, mais sont d'une rare richesse. Les débutants apprécieront la tranquillité de ces eaux qui sont idéales pour la pratique de l'apnée. La plongée est excellente aussi bien de jour que de nuit, en raison de l'abondance de vie que recèlent les pâtés de coraux à l'aspect déchiqueté. De jour, nous nous sommes beaucoup amusés à surprendre les timides poissons-coffres et à

2

jouer à cache-cache avec eux. L'espèce la plus grande et la plus courante est appelée localement «rayon de miel» en raison de la forme hexagonale de ses taches en alvéoles d'abeilles. Cette espèce *(Lactophrys polygonia)* peut atteindre 45 cm de longueur. Les anglais l'appellent «cowfish», poisson-vache, en raison des petites épines qui surplombent chaque œil. Ce poisson est considéré comme assez rare mais, ici, on le rencontre sans problème.
Une espèce voisine *(Lactophrys triquetus)* se reconnaît à ses taches blanches et à l'absence d'épine. C'est un des moins peureux parmi les

3

4

poissons-coffres. Assez similaire au précédent, mais avec des taches noires, *Lactophrys bilcaudalis* adopte une prudente stratégie de retraite vers son trou dès que le plongeur approche. La plupart du temps, ces poissons vivent solitaires.

Notre avis

Turneffe est un excellent endroit pour apprécier la plongée aux Caraïbes, comme d'ailleurs la plupart des récifs du Belize. Les eaux, à une température fort agréable (25-26 °C), sont pratiquement toujours cristallines en ce lieu relativement abrité. Si vous désirez rencontrer du gros, plongez à l'extrême pointe sud. Le site nommé Elbow (l'épaule) permet de voir souvent de belles raies-aigles et de grands bancs de carangues.

1

1) L'extraordinaire Trou bleu du Belize se trouve au beau milieu de Lighthouse Reef. Magnifique, vu d'avion.

2) La descente dans le Trou bleu doit se faire de préférence sur les bords pour éviter une sensation de vertige.

LIGHTHOUSE REEF :
Vertige dans le Trou bleu

NIVEAU DE PLONGÉE	★★★★
QUALITÉ DE LA PLONGÉE	★★★★
ASPECT TOURISTIQUE	★★★

Découvert par le commandant Cousteau lors d'une expédition en 1970, le Trou bleu du Belize fait partie de ces lieux mythiques que tout plongeur rêve de découvrir un jour. Un endroit magique et impressionnant, à la limite de l'angoisse...

Renseignements pratiques

Le Trou bleu (Blue Hole) est situé en plein milieu du Lighthouse Reef, un des plus populaires sites de plongée du Belize. On y accède uniquement par bateau. Le plus simple est de séjourner à Lighthouse Reef Resort. C'est le complexe hôtelier le plus proche. Il est situé sur Northern Cay, une île privée entourée d'un lagon cristallin. Vous pouvez aussi opter pour une croisière à bord d'un bateau, tout confort, pour un safari-plongée : La Strega, Belize Aggressor, Isla Mia sont les plus réputés. Lighthouse Reef est distant d'environ 60 milles nautiques de Belize City. Les bateaux les plus puissants l'atteignent en quatre heures de navigation environ. Comptez une heure supplémentaire pour atteindre le Trou bleu.

Lighthouse Reef (195 km^2), fait partie de la grande barrière de corail du Belize, la seconde en importance dans le monde après celle d'Australie. Les récifs sont incroyablement riches et de par leur position, très au large dans la mer des Caraïbes, ils sont régulièrement fréquentés par les grandes espèces pélagiques. Half Moon Wall est un des meilleurs sites pour voir des raies-mantas au Belize.

Particularités

Le Trou bleu s'est formé il y a environ 15 000 ans lors de la dernière glaciation. À cette époque, le niveau de la mer avait considérablement baissé. Des roches sédimentaires poreuses se sont déposées. Elles ont formé, à la suite des pluies et des siècles, d'importantes cavernes dont le toit s'est effondré avec la remontée des eaux. C'est cet ensemble de grottes qui forme le Trou bleu. Ce dernier mesure 318 m de diamètre. Il est profond de 126 m.
La plongée s'effectue d'ordinaire dans la zone des 45-50 m, jusqu'à la première caverne. Mais pour découvrir les fameuses stalactites immergées, citées par l'équipe Cousteau, il faut descendre au moins à 60 m. Les risques encourus à de telles profondeurs nous font déconseiller une pareille aventure. La simple immersion dans les eaux indigo du Trou bleu suffit à procurer d'intenses sensations. Gare au vertige ! Immergez-vous sur le récif bordant l'excavation. Vous pourrez toujours accrocher la roche si vous ne vous sentez pas bien. Les plongeurs très expérimentés pourront s'enivrer d'apesanteur en s'immergeant au beau milieu du Trou bleu. Libéré de toute contrainte, vous planez dans une euphorie totale. Ne quittez pas des yeux le profondimètre ou l'ordinateur de plongée. L'eau est si limpide qu'on est vite entraîné vers des profondeurs redoutables.

Notre avis

La plongée dans le Trou bleu est une expérience unique qu'il faut avoir vécue pour connaître cette exceptionnelle sensation de «plongée totale». Elle demande beaucoup de self-control et une excellente connaissance technique. On peut regretter l'absence quasi totale de faune dans cet endroit. Mais il paraît que des tortues et des requins s'y aventurent parfois.
Si vous en avez l'occasion, ne manquez pas le survol du Trou bleu dans un petit avion. Le paysage des récifs est féerique.

2

1

1) Vue de face, l'immense raie-manta impressionne par son envergure.

2) La raie-manta est très souvent accompagnée par des rémoras.

3) La raie-manta (Manta birostris) *est une des rencontres les plus fabuleuses que l'on puisse faire dans les eaux des Caraïbes. Elle doit son nom scientifique aux deux excroissances qui se prolongent comme des rostres.*

4) L'hôtel Cristal Mar est un petit bijou qui s'organise en appartements indépendants pour une totale liberté.

CONTOY REEF :

Le ballet du Diable de mer

NIVEAU DE PLONGÉE	★★
QUALITÉ DE LA PLONGÉE	★★★
ASPECT TOURISTIQUE	★★★

Délicieuse île tropicale bordée de plages à la pureté virginale, Isla Mujeres offre un dépaysement total. Les récifs du large, comme ceux de Contoy, sont l'occasion de contempler le vol majestueux des raies-mantas.

Renseignements pratiques

À 10 km à peine de Cancún, Isla Mujeres est en opposition totale avec la grande ville. C'est un petit paradis tropical qui vit au rythme d'une douceur tranquille. L'île est reliée à la péninsule du Yucatán par un ferry au départ de Puerto Sam. Des navettes sont disponibles depuis Puerto Juárez le port principal de Cancún. Il est aussi possible de prendre un avion pour un saut de puce de dix minutes seulement.
À peine longue d'une dizaine de kilomètres, Isla Mujeres offre un dépaysement total. On est loin de la vie trépidante de Cancún. Ici, tout reprend forme humaine. Quelques hôtels sympathiques, à la capacité d'hébergement réduite, permettent un séjour détendu et reposant.
Les centres de plongée sont très conviviaux. Ils

proposent du «sur mesure» avec des petites unités de 5 à 10 plongeurs maximum. Les deux principaux sont Mexico Divers et Carnavalito Dive. Beaucoup de récifs intéressants se trouvent à moins de dix minutes de navigation. C'est le cas, par exemple, de Manchones Reef célèbre pour ses grands bancs de poissons.
Isla Mujeres doit son nom à son découvreur Cortez. Quand il s'approcha des côtes de l'île en 1519, il aperçut quantité de statues de déesses mayas ce qui l'incita à donner à l'endroit le nom de «l'île aux femmes».

Particularités

La plongée la plus célèbre d'Isla Mujeres est la Cave des requins-dormeurs. Découverte par Ramon Bravo, elle a été popularisée par les films du commandant Cousteau. Malheureusement, elle n'est accessible qu'une petite partie de l'année et relativement difficile à explorer en raison des forts courants.
Il est possible d'aller à la rencontre du gros dans des conditions plus favorables sur les récifs exté-

2

3

rieurs de l'île de Contoy. Les passages de raies-mantas y sont assez fréquents. Ces immenses poissons peuvent atteindre 5 m d'envergure. Contrairement à une légende tenace, ils sont parfaitement inoffensifs. La raie-manta *(Manta birostris)* doit son nom scientifique aux deux protubérances qu'elle porte dans le prolongement des yeux. Elles servent à guider le plancton vers l'immense bouche qui peut engloutir plusieurs centaines de kilos de micro-organismes par jour. Grand croiseur océanique, la raie-manta se rencontre presque toujours à proximité de la surface. On l'a appelée le Diable de mer car la légende voulait qu'elle soit capable d'étouffer un nageur, ou un plongeur, en se couchant sur lui dans le sable.

Notre avis

Isla Mujeres est un endroit à recommander pour les amateurs de poissons. On peut y passer quelques jours très agréables en famille et profiter d'une des meilleures plongées des Caraïbes.

4

1

1) Il suffit de s'arrêter dans un endroit dégagé pour qu'aussitôt les poissons-mendiants viennent faire l'aumône.

2) Tout proche de Cancún, le site archéologique maya de Tulum mérite une visite.

3) Attirée par quelques miettes de pain, une nuée de poissons vient mendier au creux de la main des plongeurs.

BANDERAS REEF :

Le festin des poissons-mendiants

NIVEAU DE PLONGÉE	★
QUALITÉ DE LA PLONGÉE	★★★
ASPECT TOURISTIQUE	★★★

Dans un jardin de corail baigné de lumière, une foule de poissons virevoltants attend le plongeur lui réclamant une aumône avec insistance. Prêtez-vous au jeu avec bonne humeur, vous en conserverez un souvenir impérissable...

Renseignements pratiques

La compagnie Aéromexico relie directement Paris à Cancún en moins de dix heures avec trois vols par semaine. On peut aussi y accéder aisément depuis Miami, la plaque tournante des Caraïbes. Grand centre touristique international, Cancún a regroupé d'innombrables complexes hôteliers tout au long de la presqu'île Laguna Nichupte. Sur 25 km, des immeubles ultra modernes se succèdent sans discontinuer. C'est une des plus belles plages des Caraïbes, baignée par une eau turquoise d'une limpidité incroyable. Cancún est située à l'extrême pointe est de la province du Yucatán berceau de la civilisation maya.
Les centres de plongée se retrouvent dans les diverses marinas. Très professionnels, les *dive*

shops sont équipés de très beaux bateaux pouvant recevoir de 20 à 30 plongeurs. Les plus importants sont Cancún Marina Dive, Nautilus Diving et le Scuba Cancún avec lequel nous avons plongé.

Particularités

Il suffit d'une trentaine de minutes pour atteindre Banderas Reef, un des récifs les plus populaires. Les fonds ne dépassent pas 12-15 m. Il suffit de se laisser dériver doucement pour visiter toute la longueur du récif. Chaque anfractuosité de corail est habitée par des quantités impressionnantes de poissons. Très habitués à la présence des plongeurs, les hôtes des lieux se montrent d'une extrême familiarité. Il suffit de cesser de palmer pour qu'une myriade d'*Ocyurus chrysurus* à la queue jaune, de sergents-majors *(Abudefduf saxatilis)* à la livrée rayée et de chevesnes des Bermudes *(Kyphosus sectatrix)* vienne quémander une friandise. Ces poissons ont peu de patience et ils n'hésitent pas à vous picorer tout le corps, allant même jusqu'à vous mordiller l'oreille si vous ne satisfaites pas leur gourmandise. Ces adorables mendiants vous accompagnent dans une eau magnifique à la clarté limpide.
Il y a plusieurs journées de plongées superbes à effectuer autour de Cancún. Les récifs de Chital, El Bajito et San Toribio ne sont à manquer sous aucun prétexte. La beauté de ces sites vient de leur richesse. Il est vrai que toute la région a été décrétée réserve et parc national. Pêche et chasse y sont strictement interdites.

2

Notre avis

Nous avons été enthousiasmés par l'abondance des poissons et leur familiarité. Il est dommage que l'extrême urbanisation de Cancún donne parfois l'impression d'un paradis artificiel. Mais les amoureux des bains de soleil et des belles plages seront comblés.

3

1

1) Véritable feu d'artifice, la paroi rocheuse se pare de spongiaires multicolores et de cœlentérés roses du genre Stylaster.

2) Un plongeur approche une somptueuse éponge rouge (Amphimedon compressa).

3) Les poissons-anges français (Pomacanthus paru) *vous font l'honneur des lieux, guides remarquables, mais silencieux.*

4) Quelques lutjans (Lutjanus apodus) *semblent vouloir guider le plongeur.*

LITTLE CAVES :
Les grottes aux mille couleurs

NIVEAU DE PLONGÉE	★★
QUALITÉ DE LA PLONGÉE	★★★★
ASPECT TOURISTIQUE	★★★

En glissant doucement dans une eau limpide, le long d'un tombant à pic, le plongeur découvre une succession de grottes tapissées d'incrustations multicolores. Une plongée enchanteresse dans un relief tourmenté...

Renseignements pratiques

Cozumel est une île de 48 km de longueur sur 16 km de largeur. Située au nord-est de la pointe du Yucatán, elle est située à 70 km de Cancún et à seulement 10 km de Playa del Carmen, station balnéaire bien connue. On accède directement à Cozumel depuis Miami, ou par des vols intérieurs mexicains depuis Cancún ou Mexico. Des bateaux relient Cozumel à Playa del Carmen en une heure. Si vous avez loué une voiture et préféré utiliser le ferry, n'oubliez pas qu'il n'y a qu'une traversée quotidienne au départ de Puerto Morelos (à 36 km de Cancún). Attention, les horaires sont variables.
Cozumel est une île de plongeurs vivant uniquement pour et par la plongée. Ce n'est qu'un alignement de *dive shops*. On compte plus de

60 centres de plongée totalisant 150 bateaux. Chaque année, Cozumel reçoit 80 000 plongeurs du monde entier ! Nous vous conseillons de choisir plutôt une petite structure afin d'éviter la cohue dans les gros bateaux. Ces derniers sont surtout fréquentés par des «plongeurs du dimanche».
Nous avons choisi le Blue Angel Dive. Il est tenu par une gentille grand-mère d'origine anglaise, qui s'exprime dans un français charmant. Ce centre possède 2 bateaux de taille moyenne pouvant accueillir 7 à 10 plongeurs.

Particularités

Tous les bons coins de plongée se trouvent au sud-ouest de Cozumel. Chaque matin, les bateaux quittent les ports pour se précipiter sur les récifs s'étalant sur une quinzaine de kilomètres. Plus de vingt remparts coralliens différents recèlent des plongées vraiment exceptionnelles. Little Caves diffère des habituelles plongées tropicales en raison de son relief accidenté. On commence par un fond sableux d'une quinzaine de mètres de profondeur. Après avoir passé un monticule de rochers, on s'enfonce dans le bleu turquoise jusqu'à 25 m environ. Les plus aventureux pourraient être tentés par une plongée plus profonde dans le grand bleu, mais la réglementation locale est très stricte. Il ne faut pas dépasser les 25 m.
De très nombreuses grottes de petites dimensions ont donné leur nom à cet endroit. Elles entraînent le visiteur palmé dans un monde féerique, souvent guidé par un poisson-ange qui vous fait les honneurs du lieu. Toutes les parois rocheuses sont tapissées de concrétions multicolores.

3

4

2

Notre avis

À coup sûr, Cozumel recèle quelque-unes des plus belles plongées des Caraïbes. La réputation internationale de l'endroit est tout à fait justifiée. les non-plongeurs ne manqueront pas de visiter les nombreux sites mayas fort intéressants.

1) *Peu farouches, les poissons de Paradise Reef acceptent la présence des plongeurs. Ici,* Haemulon flavolineatum.

2) *Il est fréquent de rencontrer des familles mexicaines en costume traditionnel dans les sites mayas de Cozumel.*

3) Lutjanus analis *se reconnaît à sa queue brune et son corps argent. C'est un poisson très curieux vis-à-vis des plongeurs.*

4) *Un groupe de* Haemulon sciurus *et de* Lutjanus griseus *glisse doucement vers les profondeurs de . Paradise Reef.*

PARADISE REEF :

Des nuages de poissons

NIVEAU DE PLONGÉE	★★
QUALITÉ DE LA PLONGÉE	★★★★
ASPECT TOURISTIQUE	★★★

Jamais site n'aura si bien porté son nom que le Récif du Paradis. Avec ses milliers de poissons chatoyants qui donnent l'impression de murs vivants, c'est bien l'éden dont rêvent tous les plongeurs...

Renseignements pratiques

Cozumel doit tout son développement aux sports sous-marins. On y plonge toute l'année. Les mois de juin à septembre constituent la basse saison. En dépit de quelques ondées orageuses, ils sont sans doute la meilleure période pour apprécier la diversité et la richesse des récifs. Évitez, dans la mesure du possible, la période de Noël où tous les hôtels sont bondés. Il est très étonnant de constater qu'en dépit de l'invasion des plongeurs, les récifs restent étonnamment intacts. C'est dû au grand respect des lieux de la population locale. Les centres de plongée ont établi des règles strictes qui sont suivies avec la plus grande discipline. Le mot d'ordre est : ne jamais toucher le corail. Les bateaux ne s'ancrent pas. Il n'y a pas, non plus, de corps morts. On effectue des *drift dives*. La technique consiste à larguer les plongeurs dans un endroit et à les récupérer lorsqu'ils ressortent de l'eau. Les skippers montrent une grande virtuosité à suivre les bulles et les bateaux ne sont jamais loin, ce qui laisse une grande impression de sécurité.

Particularités

L'eau à 28-29°C est un vrai plaisir pour le corps, mais Paradise Reef est aussi un enchantement pour les yeux. Dès la mise à l'eau on est accueilli par des myriades de poissons. Pendant toute la plongée, des gros mérous de 30 à 50 kg vous accompagnent à distance respectueuse. Très curieux, il jouent les gardes du corps dans une attitude prudente. C'est aussi le royaume des poissons-anges qui se comptent par centaines. Il n'y a pas un endroit où ils ne sont pas présents.

Mais le plus étonnant, ce sont les grappes de lutjans. Des bancs de plusieurs centaines d'individus paradent en troupes compactes et disciplinées. Pratiquement immobiles, ils semblent attendre votre visite. Si vous savez vous avancer lentement, ils ne chercheront pas à s'enfuir, dégageant simplement le passage quand vous approchez à les toucher. C'est une sensation extraordinaire que cette impression de pénétrer au cœur du groupe de poissons et de limiter votre environnement à ce mur vivant.

Les espèces les plus couramment représentées sont *Haemulon sciurus* aux fines rayures jaunes et bleues. *Lutjanus griseus* aux reflets argentés et *Lutjanus apodus* reconnaissable à sa queue jaune.

Notre avis

Si nous avons eu un peu l'impression d'être parfois sevrés de poissons dans notre périple à travers les Caraïbes, les plongées à Cozumel ont complètement bouleversé nos idées toutes faites. Jamais peut-être nous n'avions rencontré de telles concentrations, pas même à Madagascar, aux Maldives ou en mer Rouge.

3

4

Index

Les chiffres en gras renvoient aux photographies couleurs.

Index

Remerciements

Les auteurs remercient pour leur aide à la réalisation de cet ouvrage :
Rev'Vacances et Aquarev' pour leur assistance technique et leur compétence dans l'organisation des voyages.
La compagnie Northwest avec laquelle nous avons traversé plus de vingt fois l'Atlantique avec grand plaisir.
La compagnie Aeromexico qui a assuré avec efficacité le transport vers le Mexique.
L'Office du Tourisme des Bahamas (Paris) pour sa collaboration efficace.
Jet Sea qui a mis à notre disposition un superbe catamaran Privilège aux Antilles.
L'ami Bird, de Bay Point Dive Center à Crystal River,
qui nous a mieux fait connaître les étonnants lamantins.
Mike Hanna, de Ginnie Springs en Floride.
Nassau Scuba Center et le Club Blue Marine à la Martinique pour leur accueil très amical.
Unexso, centre de plongée de Grande Bahama, pour leur patience et leur professionnalisme.
Coral Bay Cruise et le Coral Star pour nous avoir fait vivre un moment unique
avec les dauphins.
La Spirotechnique dont nous avons utilisé avec toute satisfaction, l'excellent matériel
à l'occasion des centaines de plongées réalisées spécifiquement pour ce livre.
Que soient aussi associés à la réalisation de cet ouvrage, tous les moniteurs de plongée
et les guides de la mer qui n'ont pas hésité à nous dévoiler amicalement
leurs jardins secrets.

Photos Patrick Mioulane et Raymond Sahuquet, assistés des photographes
de l'Agence MAP/Mise au Point 10, Bd Louise Michel 91000 Evry. France.
Téléphone : (1) 60.77.12.75. Télécopie : (1) 60.77.85.12.

La plupart des photos illustrant cet ouvrage ont été réalisées avec du matériel
Nikon et notamment des Nikonos V avec objectif 15 mm et flashes SB 102 et 103.
Les auteurs remercient tout particulièrement Nikon France pour son aide technique
et la compétence de son service après-vente.
Pellicule Fuji Velvia. Laboratoires Central Color et Atelier Martini.

Conception, maquette :
Philip Oldfield
Secrétariat d'édition : Josette Bourrianne

Dépôt légal : 5313-05-1996
N° d'éditeur : 21357 - ISBN : 2.0101.8539-0
Photocomposition : Graphie Moderne à Vincennes
Imprimé en France par Jean-Lamour
62-53-0500-9/03